OX
AB D'
l 19 09/22 2/

To renew this book, phone 0845 1202811 or visit
our website at www.libcat.oxfordshire.gov.uk
(for both options you will need your library PIN
number available from your library),
or contact any Oxfordshire library

OXFORDSHIRE
COUNTY COUNCIL

L017-64 (01/13)

LE FEU DES ORIGINES

DU MÊME AUTEUR

UN FUSIL DANS LA MAIN, UN POÈME DANS LA POCHE, Albin Michel, 1973 ; Le Serpent à plumes, 2003.

JAZZ ET VIN DE PALME, Hatier, 1980 ; Le Serpent à plumes, 1996.

LE FEU DES ORIGINES, Albin Michel, 1987 (grand prix littéraire d'Afrique noire, prix Charles-Oulmont de la Fondation de France) ; Babel n° 1543.

LES PETITS GARÇONS NAISSENT AUSSI DES ÉTOILES, Le Serpent à plumes, 1998 (prix RFI-Témoin du monde) ; Rocher, 2011.

JOHNNY CHIEN MÉCHANT, Le Serpent à plumes, 2002 ; Babel n° 1476.

PHOTO DE GROUPE AU BORD DU FLEUVE, Actes Sud, 2010 (élu meilleur roman français par la rédaction de *LIRE*, prix Ahmadou-Kourouma, prix Virilo du meilleur roman francophone, prix littéraire des Genêts) ; Babel n° 1139.

LA SONATE À BRIDGETOWER, Actes Sud, 2017 (prix de l'Algue d'or).

Première publication :
Albin Michel, 1987

EMMANUEL DONGALA

LE FEU
DES ORIGINES

roman

BABEL

RITUELLES

Homme,
tu te lèveras tous les matins
pour aller guetter la naissance
d'un nouveau jour
tu regarderas l'aube, l'étoile
et tu boiras la rosée, eau pure
du commencement des mondes.

Peut-être surprendras-tu ainsi
l'espace d'un instant
d'une brisure
l'éclat primitif
du feu de nos origines.

I

Je proclame la Nuit plus véridique que le jour.

L. S. SENGHOR

1

En ce temps-là, lorsque naquit *nganga* Mankunku – qui n'était pas encore *nganga* et ne s'appelait pas encore Mankunku –, le monde n'était ni meilleur ni pire qu'aujourd'hui, il était seulement différent. La Terre avait cessé depuis longtemps de se tordre sous les gigantesques douleurs géologiques d'où avaient surgi les murs et les pitons des montagnes, les failles ; sa face primitive avait déjà été profondément défigurée par les rivières, les torrents et les immenses fleuves paisibles en savane, sournois dans les profondeurs des forêts aux marécages méphitiques, violents contre tout obstacle sur leurs divers chemins vers l'Océan. Là où il n'y avait pas d'eaux, de larges étendues s'étaient résignées à la loi des ergs, des regs, des hamadas et surtout du vent, esprit souverain, sous l'œil farouche du Soleil. Seule la mer n'avait pas changé, toujours violente et passionnée, profonde et féconde, mère originelle d'où avaient surgi la vie et les êtres qui se partageaient la terre, l'air et l'eau.

Le monde était différent : les ancêtres fondateurs avaient déjà vécu et érigé les lois et les rites qui devaient rendre cohérente la vie sur la Terre et même si, maintenant, ils révélaient moins de connaissance aux vieux, ils les guidaient encore à travers les difficiles cheminements de l'existence ; les jeunes respectaient déjà moins les aînés mais ils les respectaient encore, la terre et les femmes ne produisaient plus avec munificence mais produisaient quand même assez pour nourrir à leur faim tous les hommes et leurs descendants.

Il naquit donc un jour de saison sèche, dans une plantation de bananiers où sa mère se trouvait seule alors que le village était déserté : les hommes pour chasser ou piller sur les terres voisines, les femmes pour préparer la terre pour la nouvelle saison. N'ayant rien pour couvrir l'enfant, elle cueillit une grande feuille de bananier et la passa sur le feu de paille sèche qu'elle avait allumé pour cuire sa nourriture : après cette suffusion d'âme chaleureuse, la feuille s'amollit, devint plus douce qu'un duvet de kapok, aussi généreuse et bienveillante que le sein de la mère pendant que la fumée y déposait une huile onctueuse comme l'huile de palme pour protéger le corps tendre du nouveau-né.

Elle enveloppa l'enfant dans la grande feuille, le serra contre sa poitrine et leva les yeux vers les cieux pour témoigner sa gratitude aux êtres qui l'entouraient dans sa solitude de femme : aux oiseaux tisserins qui tournoyaient gaiement autour de leurs nids acrobatiquement suspendus aux feuilles de palmier, au calao solitaire qui passait et repassait en claquant son gros bec casqué, étrange et digne parmi les petits passereaux ivres, aux singes frondeurs et marauffeurs qui sautaient de liane en liane, sifflant et croquant bruyamment des fruits sauvages, aux papillons et aux libellules aux robes multicolores et chatoyantes voletant çà et là, sans but, comme grisés par la lumière qui jouait à cache-cache avec les ombres des feuilles frémissant sous la caresse du vent léger ; elle témoignait sa gratitude à tous ces êtres qui avaient entendu le cri annonçant la présence du nouveau petit être dans le long cercle de la vie, parmi ceux qui étaient encore là et ceux qui s'en étaient déjà allés. Silencieux, la mère et l'enfant partageaient un moment leur corps et leur esprit avec les belles fleurs moirées de lantana bordant la lisière des champs de manioc, ils offraient leurs regards au violet des fleurs de jacaranda perdues parmi d'autres arbres aux essences triviales, ils goûtaient la pâleur des fleurs de taro et le vert profond des feuilles d'arachide luttant contre la boulimie des chiendents cespiteux : la mère et l'enfant prenaient ainsi possession de ce monde et se faisaient posséder par lui. Elle ferma les yeux pour mieux couler avec le murmure lointain du fleuve, pour mieux souffler avec le vent. Joie de la nature, consécration du nouveau-né !

Enfin elle quitta la plantation pour rentrer au village, laissant le long du chemin une traînée de son sang qui continuait à suinter, du sang que laperont plus tard les panthères et les hyènes, du sang de la douleur et de la joie qui attendrira peut-être le cœur des ancêtres. Cependant, avant de partir, elle coupa une palme qu'elle ficha à l'endroit de la naissance de l'enfant pour le perpétuer. Ainsi, des années plus tard, lorsque le garçon devenu homme – il s'appellera alors Mankunku et sera déjà *nganga* – affrontera le roi renégat devant le village réuni, c'est avec une palme dans la main qu'il se présentera afin de rappeler à tous son destin d'homme solitaire et extraordinaire comme le fut sa naissance.

2

Les femmes souvent rentrent au village avant les hommes. Celles qui rentrèrent les premières ce jour-là refusèrent de croire à la naissance de l'enfant. Comment croire à une naissance sans cris ni douleurs, sans témoins ? Où était-il né cet enfant, où étaient ces tissus de chair qui accompagnent toujours la venue d'un être né d'une femme, où étaient le sang et les eaux de la mère ?

Trop fatiguée pour les conduire au lieu de la naissance, la mère leur indiqua le chemin : elles n'avaient qu'à suivre les traces de sang jusqu'à l'endroit de la palme ; elles verraient les cendres du feu de paille qui avait réchauffé l'enfant, le lieu où était enterré tout ce qui était sorti avec lui ; elles verraient les témoins, les bananiers, les oiseaux tisserins, les grandes feuilles de taro en fleur, les grivets voltigeurs, elles entendraient les aboiements des cynocéphales, le murmure lointain du fleuve… Elles suivirent donc les traces de sang qui commençaient déjà à être recouvertes de fourmis magnans, aperçurent l'unique feuille de palmier perdue parmi les grands bananiers et furent très émues ; elles débroussaillèrent alentour, coupèrent d'autres grandes palmes qu'elles plantèrent autour de celle de la mère puis rentrèrent en chantant.

Toutes les femmes du village n'allèrent pas découvrir le lieu de la naissance, certaines par paresse, d'autres par jalousie ; elles refusèrent ainsi une origine naturelle à l'enfant et prétendirent qu'il était de ces êtres qui existent sans être nés. Heureusement, la majorité des femmes avait non seulement vu le sanctuaire de palmes mais également aidé à le bâtir ; ces femmes attesteraient toujours de sa naissance. Que se passerait-il le jour où, disparues, elles ne pourraient plus témoigner ? Les deux versions se concurrenceraient, mais si la version doutant de l'authenticité de sa naissance l'emportait, il ne resterait plus aucune trace de la réalité de son passage sur la terre.

Les vieux du clan, étant des hommes fort sages, ne se fatiguèrent point pour lui donner un nom tout de suite. Pourquoi nommer quelque chose qui se révélerait peut-être éphémère ? Beaucoup ne croyaient d'ailleurs pas à sa survie, à le voir, bébé maigrichon, téter avidement par petites saccades nerveuses, à la manière des chiots, le sein énorme de sa mère. Aussi ne l'appelait-on que "l'enfant des palmes", puis "Les Palmes", Mandala.

En ce temps-là, la semaine n'avait que quatre jours, l'année comptait ainsi beaucoup plus de semaines et les gens vivaient donc plus longtemps sur la Terre. L'enfant survécut à deux semaines, à trois, puis à quatre. On attendit trois lunes entières. L'enfant se mit à babiller, à gazouiller. Il devint beau et fort comme les hommes de la lignée de sa mère. Ce n'est qu'alors qu'il fut considéré comme une vraie personne, une créature indépendante qui méritait un nom bien à elle pour la distinguer du reste de la Création. Compte tenu de sa naissance extraordinaire, on lui trouva un nom prestigieux, le nom d'un de ces ancêtres dont les hauts faits se perdaient dans la nuit de l'histoire de son peuple. Toute la famille se réunit et le vieux Nimi A Lukeni, mémoire de la nation, le présenta aux ancêtres : "... Ainsi, à partir d'aujourd'hui, tu seras un homme appelé à vivre, tu auras un nom à toi, celui de Mankunku, celui qui défie les puissants et les fait tomber comme les feuilles tombent des arbres. Que l'esprit du grand ancêtre accepte, avec le vin de palme que je crache aux vents et les feuilles de *kimbazia* que je mâche et crache devant tous, de veiller sur toi. Tâche de devenir fort comme lui et de ne craindre personne, pas même les puissants. Sois digne de la lignée de ta mère."

Et le vent répondit en acceptant le vin, il le porta en gouttelettes fines dans les quatre directions, monta, baisa la face du ciel en effleurant le Soleil avant de retomber sur la mère et le père, grand forgeron. Et l'esprit de l'ancêtre accepta l'enfant en arrêtant définitivement la douleur qui n'avait cessé de mordre le bas-ventre de la mère depuis la naissance du garçon.

On l'appela donc Mandala Mankunku.

3

Lorsque l'on découvrit que l'enfant Mandala avait les yeux verts, ce fut l'affolement dans la famille. On connaissait des ancêtres aux yeux gris comme la tristesse, gris ciel-de-saison sèche, bruns comme la chaleur, brun sein-de-femme ; noirs comme le secret, noir cœur-de-sorcier. Mais des yeux glauques, vert-de-palme, phosphorescents la nuit, jamais ! Jamais on n'avait vu dans le clan des yeux verts de fauve nyctalope, des yeux de sorcier malfaisant voyageant la nuit avec les chouettes et les hiboux !

Comme tous les peuples de la Terre appréhendent toujours les phénomènes qui menacent l'équilibre de leur société, chacun dans le clan cherchait à trouver un sens à l'événement afin de conjurer un mauvais sort éventuel et son inévitable cortège de traverses et de tribulations. Ce n'est pas un enfant naturel, avançaient certains, c'est la réincarnation d'une panthère, mieux, d'un homme-panthère venu demander des comptes au clan, non, disaient ceux qui n'avaient jamais cru à la naissance de l'enfant, ces yeux verts sont la marque de son arrivée bizarre sur cette terre, la marque de sa non-naissance, non et non, protestaient d'autres, nous pouvons témoigner de sa naissance, ce garçon n'est pas un enfant étrange ni étranger, ces yeux pers et verts sont plutôt une malédiction venant du côté du père dont la famille n'a jamais vraiment accepté ce mariage, arrêtez de proférer de telles idioties, s'indignait-on du côté du père, une telle tare ne peut venir que de la famille maternelle car il n'est pas possible que d'une lignée de forgerons, travailleurs qui par leur seule volonté forcent les métaux à prendre n'importe quelle forme imaginable, émane une faute, une faiblesse génétique quelconque ! *Nzambi-a-Mpungu*, des yeux pervers, des yeux pers et verts !

La famille maternelle, vexée des allusions malveillantes à son égard, retira la mère de la maison de son mari et avec elle, son fils. Le père demanda le remboursement intégral de ce qu'il avait payé comme dot à la famille de sa femme : deux chèvres, des poulets, une dizaine des plus beaux coquillages qui venaient du bord de l'océan, deux houes, un paquet de sel ; et encore il leur faisait grâce des dizaines de calebasses de vin de palme et d'ananas offertes pour la cérémonie ! La famille de la femme refusa les prétentions du mari, elle ne rembourserait qu'une infime partie car, après tout, pendant le temps que la femme avait passé chez son mari, n'avait-elle pas travaillé pour lui ? Qui se levait la première tous les matins pour aller planter, semer, sarcler ? Qui allait deux fois par mois déterrer les tubercules de manioc pour les faire rouir pendant des jours dans les bras morts de la rivière afin de préparer le *foufou*, la farine qui devait les nourrir tous ? Qui tenait la maison, qui lavait le linge, qui s'occupait de l'enfant, qui... qui... La famille n'en finissait pas d'énumérer, de compter et conter les multiples activités de son enfant, diligente libellule, leste comme une hirondelle, efficace comme une abeille, douce et tendre comme une mère poule. La polémique devenait de plus en plus acerbe entre les deux parties. C'est à cette époque-là que l'enfant reçut le nom de Mambou, enfant-de-la-discorde.

Ce fut le vieux Nimi A Lukeni – celui qui avait donné à Mandala le nom de Mankunku – qui réconcilia les deux familles, fit enterrer à jamais l'incident et évita à Mandala Mankunku de porter le nom de Mambou toute sa vie. Il était déjà si vieux qu'il n'entendait presque plus, ne voyait presque plus ; il passait son temps sur une chaise longue à l'ombre d'un fromager, un chasse-mouches à la main. On l'entendait parfois murmurer des paroles inintelligibles ou alors s'emporter brusquement quand il n'arrivait pas à écarter d'un coup de son chasse-mouches un insecte particulièrement tenace. Ce n'était que le soir qu'il semblait revivre, lorsque, entouré des jeunes du village, il racontait, puisés dans la bibliothèque-musée qu'était sa mémoire, les épisodes historiques et légendaires collectés par son peuple depuis des générations. Il commençait toujours d'une voix sourde et monotone qui petit à petit s'élevait, s'échauffait, vibrait au fur et à mesure qu'il progressait dans son récit ; quelquefois, il lançait une chanson d'une voix tremblotante, l'air était aussitôt repris en chœur avant de s'envoler vers le pays des ancêtres dont il célébrait les louanges. Puis, fatigué, il allait se coucher et le lendemain on le retrouvait assis sur sa chaise, sous le fromager. Aussi, quand il apprit le différend opposant les deux familles, ce fut sous cet arbre qu'il les convoqua, chacune apportant avec elle plusieurs calebasses de vin. Tout le village était là également ; certains vinrent pour aider à la réconciliation des deux familles, d'autres en partisans de l'un ou l'autre camp, et le reste vint pour assister au spectacle et profiter de l'abondante boisson que l'on offrait dans ces occasions-là.

… Le vieux Lukeni chasse brutalement la mouche qui l'importune et frappe dans ses mains. Tout le monde se tait. Rituels et conseils d'usage, que les anciens nous guident ! Il ouvre ses paumes dans le geste généreux de celui qui reçoit et de celui qui donne :

"Femme, ton grief."

Elle parle, accuse, pleure, serre son enfant chéri contre sa poitrine protectrice. Sa famille et ses partisans l'approuvent, soutiennent ses affirmations par des cris et des phrases lancés au vent.

"Homme, qu'en dis-tu ?"

Il parle, accuse, vante sa lignée qui descend de forgerons. La parentèle de l'épouse proteste, vante la sienne. Tout le monde parle en même temps ; les voix s'élèvent, s'échauffent, petites injures, les voix montent encore plus, on sent venir les grosses injures, les paroles rédhibitoires qui consommeront la rupture définitive du clan ; on est au bord de l'équilibre, un mot de plus, un geste et… à ce moment le vieux lève la main. Silence brusque malgré le caquetage des poules et des coqs qui se poursuivent dans la cour, cherchant à s'accoupler. Les yeux se tournent, les oreilles se tendent ; sa voix n'est plus sa voix mais une autre voix chargée du poids des anciens, aussi hiératique qu'un masque : "Homme, et toi femme, j'ai vu plus de soleils partir à Mpemba et en revenir que vous deux réunis et vous tous ici êtes mes enfants. Je suis le dernier descendant direct de ceux qui, il y a très longtemps, quittèrent l'ancien royaume, traversèrent le fleuve lorsque le pays tomba complètement dans le chaos. C'est mon père qui a choisi près du grand fleuve l'emplacement de ce village qu'il a nommé Lubituku, la renaissance, alors que d'autres ont continué à fuir plus loin, vers la mer…" Il marque un temps d'arrêt pour permettre au vent de porter ses paroles dans les lobes des oreilles, dans les cœurs. "Savez-vous ce qui a provoqué ce chaos ? Eh bien c'est à cause des clans, des lignées, des familles qui se battaient, s'entre-tuaient pour régner sur le trône ; des clans qui faisaient et défaisaient les alliances au gré du vent, des gens qui allaient jusqu'à nouer des pactes avec des étrangers contre leur propre pays. Mon père a choisi ce lieu pour que notre clan prenne un nouveau départ. Croyez-moi, cela me fait de la peine de voir que tout peut recommencer à cause d'une mauvaise querelle…"

Il parle longuement, posant des questions sans réponses, donnant des réponses à des questions non formulées, distribuant le blâme et l'éloge ; il remonte à l'aube de l'Histoire, revient au présent, interroge les aïeux, le monde, les saisons, la Terre, décrit les couleurs de l'arc-en-ciel et enfin revient au village, au clan, à l'enfant : "… Un seul de nos ancêtres, l'un des plus grands, celui qui renversait les puissants, j'ai nommé Mankunku, avait les yeux verts. Grâce à ces yeux noctiluques, il avait le regard qui traversait les corps, lisait dans les cœurs et les âmes ; il pouvait, la nuit, interroger le regard des fauves, éblouir celui des chouettes et des hiboux, traquer les sorciers nyctalopes. C'est un honneur pour nous d'avoir cet enfant aux yeux vert-de-palme, car c'est bien Mankunku qui nous revient."

Il s'arrête, boit du vin de palme frais d'une calebasse trempée dans de l'eau fraîche, le visage calme, serein. Puis il demande l'enfant, innocent objet de la discorde. La mère l'arrache de sa douce poitrine protectrice et le lui donne. Il se place avec l'enfant au centre d'une croix, carrefour des quatre points du cycle de la vie : le lever du soleil, son midi, son crépuscule lorsqu'il plonge dans les éclaboussures de sang de la mer et le monde des ancêtres, et enfin de nouveau le lever du soleil. Ses doigts chenus mais agiles tracent des lignes et des points d'argile blanche sur le front et les tempes de l'enfant. "C'est toi Mankunku qui nous reviens. Que Lubituku t'accueille avec joie, tout le clan réuni." Et le baume de ces paroles portées par le vent masse les cœurs, réconcilie les esprits, pénètre dans les poitrines, dans les lobes des oreilles, pour caresser les angles de toutes rencontres…

4

L'enfant des palmes, Mandala Mankunku, grandit à l'ombre des palmiers, des animaux, des cours d'eau et des adultes. Dès qu'il put courir et parler intelligemment, il passa la majeure partie de son temps à essayer de comprendre ces êtres. Il discutait avec les animaux sauvages, interrogeait les adultes et les cours d'eau, enviait les palmiers dans leur noblesse. Le Soleil s'était lié d'amitié avec lui et la nuit ne lui faisait pas peur comme aux autres enfants, grâce à la Lune qui l'aimait. Il faisait entièrement confiance à tous ces êtres jusqu'au jour où le grand fleuve Nzadi lui donna la leçon qui le marquera toute sa vie et lui donnera ce goût intarissable de défier les puissants. Certains dirent que ce goût de la provocation lui venait de son illustre ancêtre Mankunku qui se proclamait déjà comme "celui qui renverse les puissants et les tambours qui leur rendent hommage" ; selon d'autres, il tenait à l'étrangeté de sa naissance solitaire dans un champ de bananiers. En tout cas, ce fut au bord du grand fleuve qu'il prit la résolution de violenter aussi souvent qu'il le pourrait les maîtres de ce monde.

Il aimait le grand fleuve, il le respectait. Il passait des heures à regarder son long cours ondulant, calme de puissance contenue et scintillant sous le soleil ; il admirait les pêcheurs qui y lançaient leurs filets et ramenaient de nombreux poissons : le fleuve, comme la terre, était aussi nourricier. Les jours de fête, Mankunku sentait le fleuve tressaillir d'excitation sous les clameurs et les coups de pagaie des piroguiers qui luttaient pour la première place de la course qu'ils livraient sur ses eaux. Parfois l'envie lui prenait d'être un poisson afin de s'y plonger, remonter son courant, vivre en son sein. Mais voilà, ce jour-là il ne put résister : il voulait s'y baigner, se mélanger à lui et le traverser à la nage. Le fleuve ne voulait pas ; il se mit à rider sa surface pourtant toujours calme et de petites vagues clapotèrent sur sa berge, menaçantes. Mankunku n'y prit garde, il tenait à son pari. Le fleuve, habile, le laissa venir jusqu'en son milieu ; approche petit, approche ; alors il souffla un tourbillon sous les pieds du garçon. Mankunku fut aspiré vers le bas, sa tête disparut sous les flots. Enfonce-toi enfant têtu, avale-moi, mon eau sale, qu'elle te gonfle l'estomac, qu'elle t'étouffe ! La tête de Mankunku ressort, il avale un bol d'air, pitié, lâchez-moi, je ne vous défierai plus, je vous respecterai toujours, non tu n'as pas encore compris, sale gosse, la leçon n'a pas assez duré, la tête replonge, il étouffe, le sang bat à ses tempes, un effort presque surhumain le ramène à la surface, une vigoureuse brasse du dernier souffle l'éloigne du tourbillon, il se croit sauvé mais le fleuve déroule son long bras, le rattrape, le ramène au centre du maelström, oui, tu me cherchais, enfant buté, j'espère que désormais tu sais qui est le plus fort, le plus puissant, je t'en prie, laisse-moi aller, je promets de ne plus te défier, la tête réapparaît, encore une goulée d'air et elle s'enfonce de nouveau, je n'en peux plus, j'étouffe, de l'air, de l'air par pitié, il s'évanouit, devient mou comme une algue, ne se débat plus.

Le grand fleuve lassé du jeu rejette vers la plage ce corps vaincu ; la tête du garçon heurte les rochers, le front s'ouvre, du sang. Il est enfin allongé sur le sable, toujours inerte. Le Soleil qui est son ami le prend en pitié, il le caresse, pénètre en son corps, lui masse le cœur ; il a le hoquet, il régurgite la mauvaise eau du fleuve puis il respire. Il se relève, épuisé, s'assoit sur le sable. Il voit couler le sang et se tâte le front, sent la plaie. Il se fâche, Mankunku se fâche, il se lève sur ses jambes encore chancelantes, regarde durement le fleuve, crache, hurle. Traître ! Tu as trahi l'amitié de quelqu'un qui te faisait confiance. Tu te crois puissant ? Je serai plus puissant que toi ! Vois, je crache, je recrache et pisse dans ton eau souillée du sang de l'ami. Un jour viendra où je te traverserai à la nage ! Et le vent souffle comme pour emporter ces paroles provocatrices, pour les porter à témoin à tous ceux qui entendent. Toi aussi vent, je te défie, je vous défie tous ! Je suis Mankunku, celui qui détruit, je suis Mankunku, celui qui renverse… !

Mankunku rentra chez lui en courant. Sa mère le vit arriver la tête en sang et hurla, affolée. Les femmes du village sortirent, l'entourèrent, le consolèrent, puis emmenèrent l'enfant chez le guérisseur. Dès que ce dernier eut disparu dans sa maison avec Mankunku, la mère se remit à pleurer bruyamment. Et toutes les femmes du village se mirent à raconter n'importe quoi pour la consoler ; elles la plaignirent, se plaignirent, expliquèrent, se justifièrent : ce n'est rien, mère de Mankunku, ce sont de simples écorchures, cela arrive à tous les enfants, mais oui, reprend une autre, c'est moi Nsona qui te le dis, ce n'est rien, tenez, un jour mon douzième fils est rentré de la chasse avec une énorme déchirure au flanc droit, moins d'un mois plus tard il n'y avait plus aucune trace, eh doucement, crie Kimbanda, tu parles en oubliant que Mankunku ne revenait pas de la chasse, tu sais bien que c'est le grand fleuve Nzadi qui l'a puni et qu'il ne pardonne jamais, tu as raison, Kimbanda, j'ai toujours pensé comme toi que cet enfant n'est pas né, cet enfant ne mourra jamais, taisez-vous donc, mauvaises langues, ne parlez pas de la mort de mon enfant, mais non, mère de Mankunku, n'écoute pas ces méchantes langues qui s'agitent inutilement comme une feuille morte sous la brise, ces vieilles lèvres qui papotent, ce n'est pas grave qu'on cueille des feuilles de citronnelle, qu'on les fasse bouillir et qu'il en boive l'infusion bienveillante après avoir pansé sa plaie avec du jus de feuilles fraîches de tabac, et ça caquette ça papote ça se plaint ça gémit... Le féticheur-guérisseur sort enfin de sa case avec Mankunku, la tête ceinte d'un tissu blanc légèrement teinté de rouge : l'enfant n'a rien, une petite blessure sans conséquence, le crâne n'est pas touché ; n'oubliez pas mes deux calebasses de vin de palme et un jeune coq pour les ancêtres du fleuve...

Jusqu'à l'âge où il devint un homme à part entière dans la communauté et commença à aider son père dans son travail, Mandala Mankunku n'avait pleuré que deux fois. La deuxième fois, ce fut bien après l'aventure du fleuve, longtemps après que sa blessure ne fut devenue qu'une simple cicatrice à peine visible sur le front. Il jouait avec l'enfant de Ma Kimbanda, l'une de celles qui n'avaient jamais cru à sa naissance. Ils se fâchèrent, se battirent. C'est alors que l'autre l'injuria en lui disant qu'il ne deviendrait jamais un ancêtre respecté mais resterait éternellement un vieillard aveugle, sourd, muet et impotent car, comme il n'était pas né, il ne mourrait jamais.

"Si, je mourrai !

— Non, tu es condamné à vivre éternellement comme toute chose sans naissance.

— Menteur ! Tu sais que ce n'est pas vrai. Je suis né, il y a des palmes à l'endroit où je suis venu au monde et des bananiers aussi et je mourrai un jour !

— Non, c'est toi qui es menteur, ma mère m'a dit que tu es comme le vent…"

Mankunku qui était déjà fort pour son âge terrassa son adversaire, le roua de coups puis s'enfuit, malheureux, en pleurant. Sans origine, sans fin ; sans naissance, sans mort ; suis-je condamné à errer comme le vent ?… "Mais non, tenta de le rassurer sa mère, qui vas-tu croire, moi ta mère qui t'ai porté en mon sein ou ces vieilles sorcières stériles et jalouses ? Je t'affirme que tu es né, tu es sorti de mon ventre." "D'ailleurs, ajouta son père, tout le village a vu les palmes là où tu es né, pourquoi en douter ? Il n'y a pas de raison pour que tu ne meures pas, pour que tu ne prennes pas ta place dans la longue chaîne des ancêtres à côté de ton aïeul Mankunku." Ces arguments ne réussirent point à arrêter les pleurs de l'enfant. Ce n'est que lorsque le guérisseur, son oncle Bizenga, lui confirma sa mortalité qu'il se calma enfin. Mais cet incident laissa une trace immarcescible dans l'âme de l'enfant, et, souvent dans sa vie d'homme, à ces moments de grande solitude auxquels il faut faire face dans tous les grands combats, il se demandera encore et encore si finalement il n'était pas cet homme sans début ni fin, condamné à errer éternellement sur la terre hors du temps des horloges des hommes.

5

"Ah ! ce noble art qu'est le métier de forgeron ! On prend le fer, on le tord, on le détruit, on le reconstruit ; le soufflet anime la flamme du feu comme celle de la vie ; l'eau ensuite, que l'on puise du creux de sa main et avec laquelle on asperge cette âme vive et flamboyante pour la tuer quand on veut. Maître du fer, du feu et de l'eau ! Et toi Mankunku, tu dis que ce métier ne t'intéresse pas !

"Nous, forgerons, avons créé le couteau, arme mâle, pure comme un cri à l'aube de la création du monde ; puis nous avons créé la houe, outil femelle, qui ouvre les entrailles de la terre comme l'outil mâle ouvre celles de la femme pour l'ensemencer. Et nous avons créé les cloches qui accompagnent les rois, la lance du guerrier, la hache du cultivateur, les bijoux légers des femmes ! Et toi, Mankunku, tu dis que ce métier ne t'intéresse pas !

"Tous les mâles de ma lignée, mon père, mon grand-père, mon arrière-grand-père et ainsi de suite jusqu'à l'aube de nos origines ont été forgerons. Le cuivre, le fer, le plomb et l'or n'avaient aucun secret pour eux ; comme eux, je connais la source de la puissance et je suis prêt à te la révéler. Et toi, Mankunku mon fils, tu dis que ce métier qui est un privilège ne t'intéresse pas !…"

Après le grand fleuve, son père fut donc le deuxième puissant qu'il défia. Lui, le fils aîné qui devait continuer la tradition familiale, refusa malgré toutes les adjurations de prendre le métier de son père. Il préférait se mesurer au monde des arbres, des animaux, des cours d'eau et des hommes plutôt que de rester enfermé des journées entières dans la forge à cuire les métaux. Il s'attacha peu à peu à son oncle maternel qui, grand guérisseur et grand chasseur, l'introduisit progressivement dans le monde mystérieux de la chasse.

Il lui enseigna d'abord à entendre et à reconnaître le souffle des bêtes, leurs diverses odeurs. Il lui apprit ensuite à distinguer entre les deux grandes catégories d'animaux, ceux qu'on pouvait tuer et ceux qu'on ne devait pas abattre ; puis, parmi les premiers, il apprit à distinguer ceux qu'on pouvait manger et ceux dont la consommation était interdite par le clan. Il assimila petit à petit les rites préparatoires à la chasse, comment suivre une bête à la trace, reconnaître un mâle d'une femelle par la pression de ses pas sur l'herbe, comment éviter le vent… Il lui fallait aussi éviter les nombreux pièges que lui tendait son maître. Tiens, Mankunku, il y a un serpent caché derrière cette pierre chaude, montre-moi que tu es brave et que je peux être fier de toi : attrape-le par la queue. Non, mon oncle, il ne faut jamais attraper un serpent par la queue, il vous mordrait. Il faut le prendre juste au ras du cou, au début des vertèbres… Voilà, Mankunku, nous avons réussi à prendre la gueule de ce magnifique crocodile dans notre lasso, il n'est plus dangereux, il ne peut pas mordre, approche la pirogue et ramenons-le vivant au village. Non, mon oncle, il y a toujours danger. Mais puisque je te dis que sa gueule est bâillonnée, il ne peut plus nous sectionner un bras ou nous arracher une jambe. Ce n'est pas sa gueule qu'il faut craindre, mon oncle, la force du crocodile est dans sa queue… Ce n'est qu'alors que Mankunku se mit vraiment à chasser. Il se lassa très vite des gibiers communs et faciles pour se lancer à la poursuite des bêtes de proie. Sa première victime fut un magnifique léopard qu'il eut tôt fait de découvrir grâce à ses yeux verts de nyctalope. "Tiens, mon oncle, tu es mon maître, le sage qui m'a initié au métier de la chasse, je t'offre cette peau de léopard, le premier animal puissant que je tue." L'oncle accepta avec joie le premier cadeau de son élève reconnaissant. Il accrocha le nouveau symbole de sa puissance à l'endroit approprié de sa collection de peaux de félidés rangées derrière son siège de guérisseur en un délicat mélange de couleurs.

Les exploits du jeune Mankunku ne se comptaient plus. Il tuait aussi facilement un lion qu'un lièvre, un éléphant qu'une souris ; quand il allait à la chasse avec les garçons de son âge, il ne ramenait pas nécessairement plus de gibier que les autres, mais il était toujours celui qui traquait les plus difficiles à approcher. Tout cela, pourtant, ne le satisfaisait pas. Car, bien qu'il fût reconnu grand chasseur à l'égal de son oncle, que les lions et les panthères l'évitassent quand ils l'entendaient venir, Mankunku sentait qu'il lui manquait quelque chose de plus profond, de plus fondamental encore. Était-ce l'absence de la connaissance et de la puissance concomitante que donne le métier des forges ?

À la grande joie de son père, il revint à l'atelier et se mit à apprendre le noble métier de forgeron. Il réussit à maîtriser la technique ancestrale de la cire fondue aussi facilement qu'il avait appris à chasser. Qu'il était habile ! On eût dit que toute la connaissance accumulée dans cet art depuis son plus lointain ancêtre coulait entre ses doigts. Il savait créer des bijoux de toutes sortes, de légers bracelets de cuivre et d'or pour les poignets des femmes, des colliers et des boucles graciles pour le cou délicat et les oreilles des jeunes filles, des manilles bruyantes pour les chevilles des danseuses. Il fabriquait des cloches pour les cérémonies, des triangles pour la musique, des marteaux énormes et lourds pour façonner d'autres fers encore. Il savait manier le soufflet, outre au vent magique, avec tant de dextérité qu'il arrivait à ranimer un feu qui, sur le point de mourir, n'était plus qu'une lueur invisible pour ceux qui n'avaient pas comme lui des yeux verts de nyctalope. Il y a deux raisons traditionnelles pour respecter les gens, leur grand âge ou leur habileté : Mankunku était respecté pour la seconde. Il avait été accepté par la caste des forgerons du pays, il y avait trouvé sa place, il était admiré. Que pouvait-il espérer de plus, désirer de plus, dans une société où le destin individuel n'est qu'un point dérisoire bien qu'indispensable dans le grand dessein dont la trame a été esquissée définitivement au temps des ancêtres fondateurs ? Et pourtant, Mankunku n'était pas satisfait.

Certes, son contact avec les maîtres métallurgistes, grands maîtres du feu et de l'eau, avait ouvert une autre dimension à sa vision du monde : vous pensez bien, faire fondre du plomb comme de la vulgaire cire, modeler le fer dans toutes les formes imaginables comme l'on modèle l'argile, rendre le feu aussi chaud ou froid qu'on le voulait, tout cela impliquait, c'est sûr, une puissance certaine. Mais d'où venait alors cette appétition d'une autre connaissance, cette angoisse d'avoir manqué quelque chose, quelque part ? Épuisé de contenir en lui tous ces doutes et interrogations, il décida un jour d'aller s'ouvrir au vieux Lukeni, celui qui avait ramené la paix dans le clan.

Il le trouva comme à son habitude sous son arbre. Il apporta avec lui une calebasse de vin de palme qu'il avait tiré le matin même et quelques noix de kola pour dramatiser sa visite et attirer ainsi l'attention des ancêtres autrement occupés à examiner d'autres vœux. Le vieux semblait dormir, les mains croisées sur son ventre où était posé le chasse-mouches. On était au début de l'après-midi, à ces heures où, vaincu par la chaleur, tout l'univers se prélasse : les crocodiles sur les bancs de sable, les hippopotames dans la boue où ils prennent leurs bains, les lions dans les bosquets des savanes, les geckos sur les pierres chaudes, les serpents lovés dans les trous de sable, les fourmilions au fond de leurs entonnoirs, le fleuve calme dans son lit, les hommes couchés sur des nattes sous leur véranda ou allongés dans leur chaise longue à l'ombre des arbres tandis que les femmes prennent un repos bien mérité en bavardant et en se tressant les cheveux ; il n'y a alors que les cigales qui s'affolent, enivrées par la canicule, et quelques criquets crissants, incapables de s'arrêter de ronger d'innocentes feuilles elles aussi ramollies par la touffeur. Le vent indolent agitait à peine les ramures. Mankunku s'arrêta près de la chaise du vieux. Vais-je le réveiller ou non ? hésita-t-il.

"Je t'attendais, mon enfant."

Surpris, il regarda le vieux Lukeni qui s'était saisi de son chasse-mouches et tentait, par la force de l'habitude, d'éloigner des insectes qui n'existaient pas.

"Tu m'attendais ? Tu savais que j'allais venir te voir cet après-midi ?

— Peut-être pas cet après-midi, mais je savais qu'un jour ou l'autre tu viendrais me voir. Assieds-toi. Je sens dans ta voix que tu n'es pas en paix avec toi-même.

— Je suis en paix avec la famille, le clan et toute la nation.

— Tu ne peux vraiment être en paix avec le monde si tu ne l'es avec toi-même. Assieds-toi, Mandala Mankunku."

Mankunku s'assit par terre en tailleur. Il tendit respectueusement ce qu'il avait apporté.

"Vieux Nimi A Lukeni, accepte ce vin que je t'ai porté et ces quelques noix de kola avant que je ne te parle."

Le vieux prit la calebasse, versa quelques gouttes par terre pour étancher la soif des anciens et leur rendre hommage, puis but une longue rasade. Il coupa un morceau de kola, le mâcha puis le recracha au vent, prit enfin un autre morceau qu'il se mit à mâcher.

"Nous avons accepté ton vin et la kola, mon enfant. Parle sans crainte, ouvre-nous ton cœur.

— Voilà : est-ce faire preuve de trop de présomption que de dire que je suis le meilleur chasseur du clan après Bizenga mon oncle ? Que je sais autant que mon père faire fondre le plomb, travailler le fer ? Que, mieux que quiconque, je sais instiller de la force dans une sculpture de bois ou de bronze, concentrer des haines ou des joies dans un masque, faire rejaillir d'une ciselure sur le visage d'une statuette le sourire intérieur que peut cacher un être ?

— Non, mon enfant, ce n'est pas présomptueux. Tu es le meilleur de ta génération.

— Celui qui sait faire cela n'a-t-il pas accédé à une connaissance certaine et à une certaine puissance ?

— Absolument.

— Alors, pourquoi ne suis-je pas satisfait ? Que me manque-t-il ? Suis-je trop jeune ? La jeunesse est-elle un obstacle rédhibitoire à la sérénité, à la sagesse qui accompagne la connaissance ?

— Ne crois pas ce que racontent les idiots au sujet de la jeunesse, mon enfant. La jeunesse est une porte ouverte sur la vie, elle possède la virginité des possibles.

— Mais alors, qu'est-ce ?

— Comment te répondre ? Tout d'abord, la sérénité n'accompagne pas toujours la connaissance. Et puis, te souviens-tu quand vous étiez enfants et que vous alliez par bandes piéger les animaux sauvages, débusquer les caméléons qui se camouflaient en volant la couleur des feuilles ? Il vous arrivait parfois d'abattre ces géantes fourmilières qu'on trouve souvent dans la forêt.

Qu'y voyiez-vous ? Il y avait une reine, des soldats, des ouvrières, des esclaves… Chaque fourmi connaissait sa place, sa fonction ; ainsi la société tournait, équilibrée, et chacune se sentait indispensable car la défaillance de l'une brisait la chaîne de solidarité. Mais toi, je ne sais pas qui tu es et c'est la première fois que je n'arrive pas à mettre quelqu'un à sa place dans notre société.

— Je suis fils de forgeron.

— Et tu es grand chasseur.

— Disons que je suis chasseur.

— Et tu es un maître sculpteur : en bois, en bronze et en pierre.

— C'est que, vieux Lukeni, j'aimerais tout savoir. Pourquoi me limiter ? Pourquoi ne serais-je pas tisserand, si ça me plaît, sous prétexte que mon père est forgeron ?

— Ce n'est pas ainsi que les choses se passent dans notre société.

— Et pourquoi les choses ne se passeraient-elles pas autrement ? Pourquoi ne pas les bousculer afin que des gens comme moi puissent trouver leur juste place ?

— Attention à ce que tu dis ! Ne te fais pas exclure du clan par l'excès de ta parole qui, je le sais, ne fait que traduire la sincérité de ton cœur. Mankunku mon fils, tu es un destructeur ! je ne lance pas ce mot comme un anathème, je constate. Tu es une nouvelle variété dans notre champ de maïs et je regarde, perplexe : les grains que tu vas essaimer transformeront-ils nos champs en un jardin d'abondance ou en une plantation d'ivraie ? Va, laisse-moi dormir, je suis incapable de t'aider ; je ne comprends pas la soif qui inonde ton esprit."

Il posa son chasse-mouches sur son ventre, croisa les bras et ferma les yeux. Mankunku savait qu'il ne fallait pas insister ; il se leva et s'en alla. Le vieux Lukeni ne lui avait pas donné la solution.

Il continua à errer çà et là. Il allait par exemple passer une journée au bord du fleuve à le regarder intensément comme pour lui rappeler son défi ; mais celui-ci, impassible, ne sortait pas de son lit pour le frapper comme le jeune homme l'eût souhaité ; il continuait son chemin tranquille dans son lit majestueux. Ou alors Mankunku allait se promener au lieu du sanctuaire qui, selon certains dont sa mère, était l'endroit de sa naissance ; il y restait longtemps, interrogeant les arbres, cherchant à découvrir le lien qui pouvait bien l'unir à ce coin de plantation à peine défriché où on avait planté l'arbre *nsanda*. Il ne rentrait que la nuit tombée, traînant ses pieds dans la poussière rouge des chemins de terre ferralitique et traînant également la Lune sur les poussières blanches de la Voie lactée.

Évidemment, pendant ce temps, il négligeait ce qu'on attendait de lui dans une société où chaque individu a son rôle ; de ce fait, il s'était mis lui-même hors des normes ancestrales du clan. On ne le vit plus ni à la forge de son père ni à la chasse. Personne ne sut que penser de cette conduite sans précédent qui risquait d'introduire un point faible dans la maille du clan. Ses parents s'inquiétaient : fallait-il intervenir ? Lui trouver une femme ? On consulta en secret le vieux Lukeni qui avait toujours défendu l'enfant, solitaire sous son arbre et parmi ces insectes enquiquinants que ne cessait d'éloigner nerveusement son chasse-mouches : "Personne de votre génération ne comprendra cet enfant. Laissez-le, surtout ne le troublez pas. On ne réveille pas un somnambule. Ce jeune homme est habité par l'esprit de son aïeul Mankunku, celui qui bousculait les puissants et parfois les renversait. Laissez-le partir, laissez-le se poursuivre lui-même…"

6

Ce matin-là, alors qu'il travaillait dans sa forge, le père de Mankunku fut pris de coliques soudaines et violentes. Il tomba par terre, se tordant et hurlant de douleur. On le mit sur une civière en bambou et on l'emmena chez Bizenga, le féticheur-guérisseur, l'oncle maternel de Mankunku. Celui-ci, surpris dans sa rêverie solitaire par les cris et les pleurs des femmes, arriva au pas de course, et, mis au courant du mal qui venait de frapper son père, se précipita comme les autres dans sa maison. Il fit évacuer tout le monde, mais Mankunku refusa de quitter son père. Bizenga ferma alors la porte pour se soustraire aux yeux indiscrets et demanda à Mankunku de l'aider. Le père se tordait toujours, se tenant l'estomac, le visage piqueté de perles de sueur froide. Il continuait à gémir. Le guérisseur lui tâta l'estomac, déplaça ses doigts sur le ventre du malade en suivant des lignes que lui seul semblait connaître et que le regard vert de Mankunku qui voyait à travers les choses ne put déceler. Il tâta, appliqua des pressions à des points particuliers, massa. Petit à petit le malade cessa de se tordre et de gémir. Bizenga lui donna alors une purée épaisse à base de papaye. Il demanda ensuite à Mankunku, fils de forgeron et forgeron lui-même, de prendre le soufflet de son père. Mankunku prit l'instrument placé auprès de la natte et, suivant les instructions de son oncle, souffla quatre fois de l'air purificateur sur le visage du malade : comme le vent éloigne la fumée, que l'air magique du soufflet chasse le mal du corps ! Le patient était maintenant tout à fait calmé ; on lui essuya le visage. L'oncle se vêtit d'une belle toque de léopard, mit autour de son cou des colliers sur lesquels étaient attachés des plumes d'oiseaux divers, des dents et des ongles de félidés, des sachets contenant des mélanges de cheveux, de poudres, de coquillages… Il s'installa théâtralement devant le malade, une queue de buffle à la main, et demanda à Mankunku d'ouvrir les portes et les fenêtres afin que la foule puisse l'admirer dans son petit royaume.

Ah, qu'il était puissant, le féticheur Bizenga ! Sûr de lui et dominateur, il parle, s'agite, apostrophe les hommes et les esprits. Il trempe la queue de buffle dans une jarre d'eau, en asperge la salle, emplit sa bouche de vin de palme qu'il crache aux quatre coins de la place. Mauvais esprits, éloignez-vous, sorciers en quête de corps à manger, si vous ne lâchez pas le père de Mankunku je vous tuerai, vous savez qu'il n'y a aucun secret pour moi, je vois ceux qui se cachent derrière cette maladie et je leur dis solennellement devant le village réuni que, si d'ici quarante-huit heures ils n'ont pas lâché ce malade qu'ils tiennent entre leurs dents, je les dénoncerai publiquement et demanderai aux ancêtres de durement les frapper à leur tour… Tchk, tchk, tchk, il recrache du vin par les fenêtres ouvertes, ding, ding, ding, tintinnabulent ses clochettes et ses grelots. Aujourd'hui, que mes paroles suffisent à calmer ce malade, que la puissance de mes mots repris en écho par les ancêtres rende la force au père de Mankunku…

Mankunku, assis par terre face à la peau de léopard qu'il avait offerte, écoutait, fasciné, la harangue péripatéticienne de son oncle et regardait, perplexe, son père, l'aîné des forgerons, maître du fer, du feu et de l'eau, allongé sur une natte comme un petit enfant perdu. L'oncle continuait à aller, à venir, à sermonner. Peu à peu, une interrogation confuse envahit l'esprit de Mankunku, le submergea pendant qu'il écoutait le guérisseur : était-ce la connaissance de ce monde obscur des forces qui régissent la vie et la santé des individus qui lui manquait si désespérément ? Car, intuitivement, il savait, depuis son plus jeune âge, qu'il baignait dans un monde où, si toute chose n'est pas nécessairement la matérialisation d'une force, au moins toute chose a une force en elle : la force qui sourd de la sève des plantes, la force du sexe des hommes, celle que contient le grand fleuve, celle qui fait que la Lune et le Soleil se déplacent dans le ciel, la force qui transmue une mauvaise pensée, une mauvaise parole, en un mal physique qui frappe un homme ou le tue ! Assis en tailleur sur le sol dur de terre battue, le menton posé dans le creux de ses paumes jointes aux poignets mais ouvertes en forme de coupe, il ne sentait plus la douleur de ses muscles tirés à force d'immobilité tant il était concentré. Il essaya de traquer avec ses yeux verts les paroles de son oncle mais celles-ci devinrent bientôt insignifiantes, ordinaires, puis elles perdirent leur sens, se firent murmures légers avant de perdre complètement leur faculté de faire vibrer ses tympans. Il lui semblait soudain se trouver devant un grand silence, le silence de l'univers antérieur à toute voix humaine, hors du temps des horloges des hommes. Il n'était plus rien, il était tout. Il était là, quelque part, regardant le fleuve s'engouffrer dans l'immense océan, turbulent ici, étale là-bas, il était pris dans le tourbillonnement des galaxies et des nébuleuses, le scintillement des étoiles, le vent. Il écoutait, regardait, ébloui. Le monde était neuf, le monde était beau. Il lui sembla soudain exploser sous l'illumination de la découverte qu'il fit alors : sans aucun doute, la connaissance qui lui manquait le plus était celle qui permettait de saisir la force, la puissance qui se cachait derrière chaque chose, de la piéger et, ultimement, de la détourner pour le bien des hommes.

Oui, c'était cela, le début de la sagesse, et n'était-ce point ce qui faisait la force des ancêtres ? Son esprit et son corps se détendirent alors, soulagés. Il eut brusquement mal au dos et aux jambes et, au même moment, les paroles de son oncle transpercèrent à nouveau son tympan : "… Faites-lui manger beaucoup de papaye mûre et pendant deux semaines vous cuirez sa nourriture à l'huile de palme si c'est de la viande, évitez de la faire faisander, laissez-la plutôt s'attendrir dans des feuilles de papayer. À la fin des deux semaines, vous reviendrez me voir, je lui donnerai un purgatif qui dégagera ses intestins. Il perdra un peu de sa virilité mais je le guérirai. Il faut qu'il évite pendant quelques mois de fondre du plomb et d'en respirer les vapeurs." Il se tut, reprit la queue de buffle qu'il trempa dans un liquide, en aspergea de nouveau l'assistance respectueuse de son pouvoir. Mankunku, harassé de corps et d'esprit comme après un long voyage, n'avait plus, chose singulière, cette admiration de néophyte qu'il vouait quelques instants auparavant à son oncle ; il trouvait même béotiennes ses manières d'agir, cette façon d'insister lourdement sur ce qu'on lui devait : "… Le malade étant de ma famille, je ne demanderai rien, mais vu la gravité du mal, il faudra quand même m'apporter une chèvre, ou trois poules et un coq, pour forcer l'oreille des ancêtres afin qu'ils m'aident et nous aident dans notre lutte sans merci contre les sorciers qui ont voulu manger le père de Mankunku…" Il se leva, quitta la salle où son oncle continuait à officier, rentra chez lui, se coucha et s'endormit aussitôt.

Mankunku apprit avidement tout ce que voulait bien lui apprendre son oncle. Il avait une telle boulimie de connaissances qu'il posait beaucoup de questions, peut-être même trop. Son oncle y répondait parfois clairement, parfois évasivement et d'autres fois pas du tout : le maître ne doit pas tout dévoiler, l'élève doit rester sous sa dépendance. Néanmoins, Mankunku subodorait les limites des connaissances de son oncle car, depuis la révélation qu'il avait vécue lors de la crise de saturnisme de son père, il arrivait très facilement à déceler les moments où les paroles de Bizenga franchissaient la frontière ténue qui sépare la connaissance vraie du charlatanisme. Aussi se mit-il à chercher de son côté, au hasard. Il ne chassait plus, il ne forgeait plus. Nouveaux remous dans le village, nouveaux soupirs. Cet enfant portera malheur au clan, disaient les uns, c'est un destructeur, disaient les autres. Le vieux Lukeni, consulté par les parents, leur dit : "J'aime cet enfant. Si c'est un destructeur tant mieux, car pour construire il faut d'abord détruire."

À l'insu de son oncle, Mankunku essayait des plantes et des racines nouvelles ; il essayait de déterminer l'action des différentes eaux en mélangeant ses médicaments avec la rosée du matin, la rosée du soir, l'eau de pluie. Il alla plus loin encore. Son oncle lui avait enseigné la règle d'or de tout acte de guérison : faire appel chaque fois aux ancêtres car c'étaient finalement eux qui guérissaient ; si on ne le faisait pas, non seulement le malade risquait de mourir, mais le guérisseur lui-même pouvait en pâtir. Mais Mankunku expérimenta des médicaments sur des malades sans invoquer les ancêtres. Il fit ainsi une découverte qui allait le marquer aussi profondément que son expérience du fleuve : il existait des médicaments qui pouvaient guérir seuls, sans l'aide des ancêtres. Il triomphait secrètement, c'était sa manière à lui de bousculer les puissants. Il ne dit rien à son oncle et se jeta alors dans la recherche de ces substances assez fortes pour guérir seules : ce fut ainsi qu'il découvrit le *kimbiolongo*, cette racine qui redonne la virilité et la vitalité aux hommes. Ce fut lui aussi qui découvrit le jus amer du quinquéliba pour soigner le paludisme, les feuilles de *mansunsu* contre la fièvre et la fatigue musculaire, le *kazu* contre le sommeil et la fatigue de l'esprit les jours de guerre et de chasse, et encore beaucoup et beaucoup d'autres choses que le peuple lui-même a oubliées. Contrairement à son oncle qui préservait ses connaissances de toute indiscrétion, il se mit à publier, à diffuser ces découvertes aux gens du peuple et à leur apprendre comment se soigner eux-mêmes ; grâce à lui, des vieux vécurent une jeunesse avec de jeunes épouses dynamiques, les sorciers ne purent plus frapper les gens avec le paludisme, on ne faisait plus appel au féticheur Bizenga pour un banal mal de ventre.

L'oncle entra dans une colère effroyable lorsqu'un jour il surprit Mankunku en train de dévoiler les composantes d'une potion à un de ses malades. Il gueula, cria, hurla, enfant ingrat, tu veux me ruiner, me trahir, malgré tout le bien que je t'ai fait, mon oncle, j'apprends aux gens à se soigner eux-mêmes, je ne vois pas où est le mal, tais-toi, oublies-tu que je suis ton maître, que c'est moi qui t'ai tout appris, non, je n'oublie pas cela, alors n'oublie pas non plus que je suis plus vieux que toi, que je connais beaucoup plus que toi et que je peux te nuire très sérieusement, mais mon oncle quand ils viennent chez toi, même pour un petit mal de rien du tout, il faut qu'ils apportent un poulet, une chèvre ou une calebasse de vin de palme, tais-toi donc, enfant insolent, tu sais bien que ce ne sont pas des cadeaux qu'ils m'apportent mais des offrandes pour les ancêtres, oui mon oncle, je veux bien te croire, mais pourquoi est-ce toi qui manges ces poulets, ces chèvres, toi qui bois ce vin avec tes épouses, enfant têtu, têtu et insolent, tu veux venir n'est-ce pas, eh bien viens et tu verras, si tu n'étais pas le fils de ma sœur, je t'aurais fait du mal, je t'aurais maudit et chassé de chez moi ! L'oncle a les yeux rouges, les lèvres gonflées, le visage déformé par la colère ; Mankunku sent que la sagesse est de ne pas envenimer les choses, il baisse le ton, prend des yeux tristes, s'humilie un peu et donne à sa voix un ton de repentir, mon oncle, pardonne-moi, j'ai agi comme un enfant car je n'ai pas encore beaucoup de sagesse, je ne suis qu'un apprenti sous tes ordres, je te dois du respect, et pour ton âge et pour tes connaissances, je te demande pardon. Le visage du maître se détend, reprend une forme familière, les lèvres deviennent moins épaisses, n'est-ce pas mon oncle, si je suis venu chez toi c'est pour apprendre, tu as bien fait de me dire que je me trompais. L'oncle est souriant, il tapote l'épaule du garçon ; ouf, on revient de loin, la confiance est rétablie, le respect de la tradition retrouvé, le monde n'est plus menacé, son équilibre est perpétué ; les chèvres, les poules, le vin et autres cadeaux continue-ront d'affluer, rien ne sera changé, toujours les ancêtres, le maître, l'élève et les autres.

"Ce n'est pas grave, mon enfant. Un jeune n'a pas la sagesse d'un vieux et un grain de folie peut toujours se glisser dans son cerveau ; l'essentiel est qu'il ait quelqu'un pour veiller sur lui et je suis là. N'oublie pas que toujours, avant de commencer quoi que ce soit, il faudra d'abord m'en parler. Les jeunes doivent respecter les vieux et, le jour où cette règle sera enfreinte, le clan sera détruit, les ancêtres nous abandonneront et ce sera la fin du monde. J'espère que tu as compris. Allez, va me chercher ma pipe avec un peu de tabac sec, ensuite tu m'expliqueras où on trouve cette racine qui donne la virilité aux hommes, et comment préparer ce remède contre le paludisme."

Mankunku obéit, lui apporta son calumet puis rentra chez lui. Cette discussion qui faillit tourner à la dispute le convainquit plus que jamais qu'il y avait des choses à découvrir au-delà des ancêtres, au-delà des vieux du village. "Mon oncle s'accroche au peu qu'il sait pour pouvoir s'enrichir aux dépens des autres", pensa-t-il. Il fut conforté dans cette opinion lorsqu'il apprit, plus tard, que son oncle avait fait répandre la rumeur selon laquelle c'était lui, Bizenga, qui avait découvert le *kimbiolongo*, le quinquéliba, le *mansunsu*, etc., mais que l'enfant ingrat Mankunku avait volé l'invention pour se faire valoir. Cette accusation était ridicule, car pourquoi essayer de se faire mousser dans une société où il n'y a pas de lutte pour la vie, où chaque être qui naît a naturellement sa place ? Mankunku ne voulait pas déclencher une polémique inutile ; il continua à travailler sous les ordres de son oncle comme si de rien n'était. Il le remplaçait d'ailleurs si bien que tout le monde se mit à l'appeler *nganga*, c'est-à-dire celui qui sait : savant, féticheur, guérisseur… *Nganga* à son âge, lui qui n'avait même pas un enfant, c'était extraordinaire. Il semblait bien que quelque chose était en train de changer dans ce pays.

7

Deux femmes affolées, cheveux ébouriffés, les seins nus offerts au vent, arrivent en courant devant la maison où conversent l'oncle Bizenga et *nganga* Mankunku :

"Mankunku grand chasseur, vite, prends ton arme, nous avons été attaquées par une panthère qui rôde autour des plantations de bananiers. Nous n'avons eu que le temps de nous échapper en abandonnant nos récoltes."

Avant que Mankunku n'ait dit un mot, les yeux de Bizenga s'éclairent, ses lèvres se tordent en un rictus de satisfaction, comme s'il venait de trouver la solution à un problème qui le tracassait depuis longtemps. Il lève la main et joue son rôle de grand féticheur qui sait tout.

"Ce ne sont pas des panthères, femmes, mais des hommes-panthères…"

Affolées encore plus, les femmes détalent, criant sur leur passage "nous avons vu des hommes-panthères, nous avons vu des hommes-panthères…" Les hommes, les enfants, sortent précipitamment de leurs demeures. Certains courent vers Mankunku et son oncle :

"Bizenga, Mankunku, il y a des hommes-panthères qui rôdent…"

Bizenga les interrompt avant qu'ils n'aient terminé leur phrase.

"Ce ne sont pas des hommes-panthères, ce sont des espions jagas ; voilà des mois qu'ils se préparent à nous attaquer. Il n'y a qu'une chose à faire, c'est de les attaquer avant. Il faut que notre chef déclare la guerre !"

Mankunku est un peu surpris par les paroles de son oncle. D'où tient-il ces informations et pourquoi n'en a-t-il jamais discuté avec eux ? Pourquoi, lui qui a l'habitude de faire de longues randonnées solitaires dans la forêt, de nuit comme de jour, n'a-t-il jamais rencontré ces soi-disant espions ? Mais il est le seul à se poser ces questions. La sagesse d'un féticheur, d'un grand guérisseur comme Bizenga ne se discute pas, on le croit sur-le-champ, on se précipite chez le chef. Ce dernier est surpris, il n'y croit pas, il refuse de lever une armée tout de suite et propose d'envoyer des émissaires chez les Jagas. Bizenga prend la parole, dénonce les faiblesses du chef, ses hésitations qui mettent en danger la vie du village, pousse devant la foule les deux femmes effrayées qui retiennent à peine leurs larmes. La majorité suit Bizenga, on décide donc de partir en guerre contre l'ennemi. Battez tamtams, sonnez les *ngunga* et les cornes ! Poudre rouge de *tukula* ! Qu'il y ait deux divisions, l'une commandée par Bizenga, l'autre par le frère du féticheur. Tout est bientôt prêt, départ, cris de femmes, *ngoma* et *ngunga*. Le village est presque vide…

Moins d'une heure plus tard, l'armée de Bizenga revient en débandade, se traînant ou faisant semblant, se lamentant ; les combattants jettent pêle-mêle leurs armes au centre du village. Une demi-heure après, arrive celle de son frère se cachant ostensiblement le visage de honte ; tout le monde chante des chansons de détresse bientôt accompagnées du chœur des femmes : "Notre chef ne sait pas commander, il a envoyé nos hommes combattre sans préparation et nous voilà vaincus. Malheur ! Bizenga, aide-nous…" Le chef semble avoir compris toute la machination. Il marche seul, abandonné, déserté. Il ne parle pas, ne prend même pas sa propre défense ; il écoute, tête baissée :

"Un roi qui ne peut défendre son peuple ne mérite pas qu'on le garde.

— Il a ruiné le pays en laissant nos récoltes à nos ennemis jagas.

— Il ne respecte plus les anciens, il n'en fait qu'à sa tête.

— Il n'est plus apte à gouverner.

— Oui, il nous a menés à la défaite."

Approbations des hommes et des femmes. Il lève la tête et regarde Bizenga dans les yeux, se retourne puis s'en va. On prend son siège royal, on le casse. On arrache la peau de léopard de devant sa porte. Le roi est mort, vive le nouveau chef…

Ce fut à la suite de ces événements inattendus que Mankunku assista pour la première fois à l'élection d'un chef. En effet, il était rare que l'on usât de ce stratagème pour éliminer un chef. Certes, c'était là une manière élégante qu'avaient inventée les anciens pour se débarrasser d'un chef vieillissant ou impopulaire, mais ce n'était point le cas ici. Il apparut clairement à Mankunku que son oncle avait manipulé l'opinion publique. Comme par hasard ce fut lui, Bizenga, qui fut nommé.

"Que pensez-vous du choix de Bizenga, vieux Lukeni ?

— Je ne vois plus, je n'entends plus, laissez-moi en paix, avait répondu le vieux."

Beaucoup comprirent qu'il n'était pas très heureux du choix.

"Et toi jeune *nganga* Mankunku, qu'en penses-tu ?"

Mankunku, que ces événements indignaient, s'était tenu à l'écart des élections. Maintenant qu'on lui demandait son avis, une phrase lui revint en mémoire, la phrase que, paraît-il, ne cessait de répéter son illustre aïeul dont il portait le nom. Ce fut sa réponse :

"Je suis Mankunku, celui qui renverse. Je suis celui qui bouscule le siège des puissants et les tambours qui leur rendent hommage."

Il s'étonna lui-même de son courage. Tout le monde le regardait, intrigué. Le vieux Lukeni sourit. Bizenga, agacé, donna l'ordre de commencer les réjouissances.

En ce temps-là où la semaine ne durait que quatre jours et où les gens vivaient donc plus longtemps sur Terre, les cérémonies duraient aussi plus longtemps. On dansa et but pendant deux semaines entières, le chef prit une nouvelle femme et s'enferma avec elle trois nuits de suite. On gemma soixante-dix-huit palmiers pour en recueillir la sève et obtenir le vin de palme qui abreuve les fêtards, on mangea quarante chèvres et moutons, deux buffles, un éléphant. Il y eut onze naissances, par contre cinq personnes moururent dont deux par étouffement en plein repas, et l'on découvrit trois cas d'adultère. Enfin la fête cessa.

Cette élection apporta une liberté nouvelle à Mankunku. Son oncle n'ayant plus besoin d'exercer son métier à plein temps pour vivre – et s'enrichir –, il n'y avait plus qu'un vrai guérisseur dans le pays, Mankunku. Non seulement il soignait très bien ses patients, mais il le faisait gratuitement. Il fut ainsi aimé et admiré. Il prit pleinement possession de sa fonction et rien ne faisait plus écran entre lui et l'univers. Il adapta son travail à un autre rythme. Il sortait la nuit, restait dehors jusqu'à l'aube à observer le ciel, essayant de voir si aucun astre mystérieux ne sortait pour converser avec la Terre pendant que les hommes dormaient ; il découvrit ainsi de nouvelles étoiles qui n'apparaissaient que tard dans la nuit et s'en allaient avant le lever du soleil ; il repéra si bien leur trajectoire qu'il donna un nom à chacune d'elles. Plusieurs fois, il se leva brusquement au milieu de la nuit alors que les arbres s'y attendaient le moins pour voir s'ils ne se déplaçaient pas eux aussi, à l'insu des hommes, pour tenir quelque conclave secret. Il passa une nuit entière au bord du grand fleuve Nzadi pour voir ce qu'il devenait à ces heures-là.

Grâce à ces activités incessantes, Mankunku fit plusieurs découvertes qui sont maintenant tombées dans le domaine public car son peuple les attribue toutes aux révélations des ancêtres. Certaines furent de peu d'importance et de peu de conséquences, d'autres par contre bouleversèrent sa société. Il découvrit que, vue du Soleil ou de la Lune, la Terre devait être une boule comme le sont le Soleil ou la Lune vus de la Terre. C'est lui qui résolut le problème des saisons de l'année : la tradition, observant le ciel, comptait treize lunes dans l'année, ce qui rendait le travail des champs bien aléatoire car, si la saison des labours arrivait quelquefois le mois prévu, souvent elle arrivait soit un mois trop tôt, soit un mois trop tard. Beaucoup de récoltes étaient ainsi gâchées. Les vieux du temps de Lukeni ne réussirent pas à résoudre le problème, seul l'oncle Bizenga avait réussi à imposer son explication : les ancêtres n'étaient pas satisfaits du cadeau qu'on leur faisait et, pour punir les hommes, ils faisaient arriver la saison sèche un mois plus tôt, ou arrêtaient les pluies un mois trop tard ; alors il réclamait cadeaux et offrandes qu'il promettait de livrer aux esprits offensés.

Mankunku quant à lui était tracassé par ce treizième mois qui disparaissait comme cela de temps en temps. Où s'évanouissait-il ? Il pensa d'abord qu'il y avait plusieurs Lunes, chacune prenant son tour autour de la Terre à des vitesses différentes, ce qui expliquait cette variation dans la longueur des saisons. Il repéra alors une tache déterminée sur une Lune comme identification de cette dernière, mais il retrouva la même tache chaque mois et chaque année exactement au même endroit : il n'y avait donc qu'une seule et même Lune autour de la Terre. Puisque la trajectoire du temps, selon les anciens, n'était pas rectiligne mais circulaire, c'est-à-dire que tout était perpétuel retour, on devrait retrouver ce mois quelque part. Devant cette impasse, il essaya de déterminer les saisons indépendamment de la capricieuse Lune. Il connaissait alors si bien les étoiles qu'il réussit à prévoir exactement le mois de l'arrivée des saisons de pluies en se basant sur le mouvement des Pléiades. Mais, comme pour lui, toute connaissance n'était valable que si elle pouvait être utilisée par le peuple, il essaya d'expliquer à la population comment, grâce aux étoiles en général et aux Pléiades en particulier, on pouvait rectifier le décalage entre les treize mois de l'année et l'irrégularité des saisons. Personne ne voulut faire un effort pour le comprendre, chacun prétendait que cela était trop compliqué et qu'il fallait se lever chaque nuit pour regarder le ciel ; il suffisait qu'il le leur dise, ils le croiraient car il était *nganga*, le prêtre, le magicien ; il avait l'oreille des ancêtres et pouvait pénétrer leur secret, on s'en remettait à lui. Mankunku fut vexé par cette démission et s'en prit violemment à son oncle maternel qu'il considérait comme responsable, car ce dernier, contrairement à ses prédécesseurs, gardant jalousement et monnayant sans vergogne ses connaissances, avait fait croire au peuple que le savoir était un don réservé à quelques hommes. Mankunku jura de briser cette tradition et se mit en quête d'une solution plus simple, plus accessible… et il la trouva ! Il fut ébloui par sa découverte. Il se demanda un instant si tous les ancêtres et ces vieux n'étaient pas des charlatans qui ne comprenaient rien à rien tant la solution était simple (il revint vite sur cet instant de sacrilège). La solution était facile et personne ne l'avait trouvée : il suffisait d'observer les mouvements du Soleil ! Cela, le peuple le comprendrait facilement. L'année n'avait alors plus que douze mois, les saisons cessaient d'être erratiques, elles devenaient logiques et simples. On planifia mieux les récoltes et les périodes d'ensemencement. C'est de ce temps-là que date le célèbre proverbe : "Faites confiance au Soleil, la Lune est changeante."

Il n'y avait pas que le grand univers qui le fascinait, il y avait aussi le monde proche des plantes et des herbes.

Depuis qu'il avait découvert l'existence des médicaments agissant par leur propre force, c'est-à-dire sans l'aide des aïeux, il lui semblait être passé à côté de quelque chose de plus important encore et cela ne cessait de le tourmenter. Il alla donc à la redécouverte de ce monde.

Seul dans le calme étrange de la forêt, dans un silence fait de souffles retenus, il leva les yeux vers ces arbres géants dont la cime semblait frôler le ciel, un instant fasciné par les couleurs de la lumière décomposée par les vibrations des feuilles sous le vent ; son regard glissa le long des troncs vigoureux, s'accrocha aux ramures compliquées puis descendit pour s'arrêter au sous-bois touffu où régnaient dans les zones d'ombre des fougères phosphorescentes. Son empathie pour ces êtres immobiles fut si forte qu'il lui sembla que ses jambes étaient, elles aussi, enracinées ; il sentait ces forces et ces vies sourdre en lui, porter son sexe à tumescence, pousser la sève du sol au tronc et du tronc au sommet des arbres pour l'acheminer jusqu'à la pointe extrême des feuilles. Il contempla les lianes aux courbes aventureuses, descendant des arbres, prenant dans leurs arabesques les racines aériennes des palétuviers et filant droit vers le fût d'un autre arbre, tel un cordon ombilical liant deux vies : avec un peu plus de mouvement, se dit-il, elles seraient serpents. Comme la vie était variée et insaisissable !

Il s'arracha de sa contemplation, fit quelques pas au hasard, comme enivré par cet univers sentient, respira profondément pour maîtriser ses muscles moteurs et se mit à la recherche des simples qu'il estimait intéressants pour ce qu'il voulait faire. Il cueillit des plantes jeunes et pleines de sang vert, aux formes inattendues car il croyait à des correspondances entre la forme et le fond ; il cueillit également des fleurs rares aux tropismes subtils qui poussaient dans des endroits difficilement accessibles, comme pour se garder des topographies banales ; il recueillit le jus fort des plantes carnivores ; il grimpa aux sommets des plus grands arbres pour récolter les fruits des cimes en contact permanent avec l'eau de pluie, eau pure, et le Soleil. Avec cette moisson, il inventa plusieurs drogues, les unes utiles, les autres nuisibles. Il découvrit des breuvages contre la toux, il généralisa l'usage de la citronnelle, encouragea l'utilisation des feuilles de papayer pour les lavages d'estomac.

Parmi les drogues nuisibles, il trouva un mélange qui pouvait tuer un éléphant en trois battements de cils, il en fut tellement effrayé que, toujours poussé par son esprit de contradiction, il se consacra entièrement à la recherche d'une nouvelle mixture qui annulerait la force de la première. "Si l'eau tue le feu, se dit-il, il doit y avoir quelque chose pour tuer la force de mon nouveau produit." Il erra dans les forêts pendant une lune entière, collectant des feuilles, des herbes, des fleurs, des fruits, des racines, dosant et mélangeant des extraits, puis les essayant sur des bêtes auxquelles il avait fait absorber son produit destructeur : il tua ainsi vingt-cinq chèvres et moutons, trente-six poulets, vingt chiens.

Le village ne comprenait rien à cette épizootie soudaine ; les gens trouvaient ces morts bizarres et commençaient à paniquer. Ils en parlèrent à Mankunku qui ne les écouta point. De toute façon, il s'était encore coupé du village, comme à l'époque où il avait abandonné le métier de son père. On le voyait souvent seul, à l'aube, revenir des bois, des herbes à la main, et s'enfermer dans sa maison ; il sortait parfois brusquement pour aller recueillir la sève d'un arbre, déterrer une racine ou arracher une algue des marais eutrophes qui stagnent dans les sous-bois. Il ne soignait plus personne. Les gens peu à peu se détournèrent de lui pour aller consulter son oncle maternel Bizenga. Ce dernier en profitait pour dénigrer Mankunku qui avait failli à la coutume en ne vouant pas un respect absolu à son maître et initiateur. "Cet homme est maudit, disait-il, il a l'esprit agité." Usant de son âge et de sa fonction, il réussit à détourner le village entier vers lui et en profita pour demander des prix de plus en plus élevés.

Un jour, parmi les extraits de plantes, de poudres, de cendres et autres substances que Mankunku avait étudiées, il réussit à obtenir la mixture correcte qui, avalée quelque temps avant ou après son mélange destructeur, le neutralisait ! Il tenait enfin sa victoire ! À une force, il existait une contre-force, à un poison un contrepoison ! Le feu et l'eau ! Le jour et la nuit ! Le Soleil et la Lune ! Tout était dynamiquement apparié. À la main droite correspondait une main gauche. Il fut pris d'une véritable illumination : "Je comprends maintenant le principe fondamental qui régit le monde, se dit-il, même les ancêtres ne l'avaient pas compris : un événement avait lieu parce qu'il n'y avait pas son image paire pour l'annuler. Le manque de symétrie doit être une condition nécessaire pour que les choses bougent, pour que la vie existe."

Du jour où il découvrit la symétrie de l'univers, Mankunku se calma. Comme il lui semblait avoir touché quelque chose de fondamental, son âme reposa enfin en paix. Pour marquer ce grand passage, le soir de sa découverte il prit un bain tout nu dans le grand fleuve Nzadi avec lequel ce fut l'occasion d'une grande réconciliation. Il nagea jusqu'au milieu et y jeta les vieux vêtements qu'il n'avait cessé de porter pendant toute sa quête : l'eau les engloutit. Il sortit de l'eau, s'essuya, mit des vêtements propres et revint au village où il se remit à participer aux activités communes. Il rendait de nouveau visite aux malades, partageait son repas avec tout le monde, prenait part aux discussions comme si rien ne s'était passé. Les gens hésitaient, ne sachant quelle attitude prendre devant cet homme aux comportements erratiques comme la Lune, surtout après tout le mal qu'en avait dit Bizenga. Malgré tout, petit à petit ils revinrent vers lui et l'acceptèrent entièrement. Il redevint leur Mandala Mankunku de toujours, leur *nganga* bien-aimé. D'ailleurs la cause était entendue dès le moment où le vieux Lukeni avait dit : "Il était parti, il est revenu. Il faut souvent partir pour mieux revenir."

8

Mankunku passait beaucoup de temps avec le vieux Lukeni, gravant dans sa mémoire les histoires du passé que lui racontait ce dernier. "L'histoire d'un peuple ne doit pas mourir avec ceux qui l'ont vécue, elle doit être transmise de bouche en bouche, de mémoire en mémoire aux petits-enfants de nos petits-enfants", répétait-il. Mankunku acquiesçait, jeune âme buvant à la source de ses origines. Des noms de rois défilaient à ses oreilles, les lieux de bataille, les itinéraires des diverses migrations, les dates des années des meilleures récoltes, des pires sécheresses, tous ces récits souvent entrecoupés de mélopées que Mankunku essayait tant bien que mal d'accompagner avec son *kisansi*, petit instrument qu'il tenait dans ses deux mains et composé d'une caisse de résonance sur laquelle il avait ajusté des lames de fer qu'il faisait vibrer avec les pouces et dont la tonalité était calculée en fonction de sa longueur. Parfois emporté par l'émotion, le vieux tremblait et pleurait, demandait à Mankunku de le promener à travers les hauts lieux de sa vie : un arbre ici, une tombe là, un tas de pierres, un coin du fleuve. Il était visiblement très fatigué. Mankunku s'en apercevait lorsqu'il soutenait ce corps recroquevillé aux jambes affaiblies, cherchant désespérément l'appui d'une canne pour avancer d'un pas.

Un matin, Mankunku ne vit pas la silhouette familière du vieux au pied de son grand arbre. Il alla chez lui et le trouva gisant dans son lit, le corps brûlant de fièvre ; ses lèvres racornies par les années et desséchées encore plus par la maladie étaient incapables de fermer une bouche sans dents dans laquelle on voyait s'agiter une langue qui essayait en vain de les humidifier. Mankunku fut bouleversé et, pour la première fois, envisagea la mort de son vieux mentor. "Non, ce n'est pas possible, le vieux Lukeni ne peut mourir ! Il est la mémoire de notre peuple, que deviendrions-nous ? Nous ne pouvons pas perdre tout ce qu'il sait, un peuple ne peut pas vivre sans mémoire." Il se mit aussitôt à douter de la sienne et eut un moment de panique. Serait-il capable de retenir tout ce qu'il avait appris du vieux ? Et d'ailleurs, avait-il tout appris ? "Ah, se dit-il, si je pouvais inventer quelque chose, un code, des signes pour reproduire d'une façon ou d'une autre tout ce que je sais, tout ce que nos vieux savent ! Il ne suffirait que d'apprendre le code, les signes, pour pouvoir déchiffrer ces richesses que nous conserverions soigneusement en un lieu béni." Une plainte ramena son attention vers le malade. Il fut pris de colère. "Je le guérirai ! Je le guérirai envers et contre tous !" Il sortit en courant.

Après une exsudation abondante à la vapeur de feuilles de *mansunsu*, le vieux avala divers breuvages à base de quinquéliba et ceci trois fois par jour. Mankunku le nourrit ensuite avec beaucoup de jus de fruits et avec un fruit sauvage, le *ntundu*. Après plusieurs jours, le malade reprit vie petit à petit ; il se remit à manger ses mets favoris et enfin retrouva son humeur habituelle : il était guéri !

Mankunku triomphait, pas une seule fois il n'avait fait appel à l'esprit des ancêtres pour obtenir la guérison du vieux Lukeni. Il était maintenant persuadé que seul importait le médicament que l'on donnait au malade ; les ancêtres et les cadeaux qu'on leur faisait jouaient un rôle beaucoup moins important qu'on ne le croyait. En cela, il allait à l'encontre de son maître Bizenga, pour qui le succès d'un traitement était proportionnel aux cadeaux qu'on lui donnait et qu'il promettait d'offrir aux aïeux. Il regardait son malade qui fumait goulûment sa pipe en une sorte de joie de vivre retrouvée. Mankunku attendit patiemment le départ des visiteurs, ils se retrouvèrent seuls.

"Mankunku mon enfant, je te remercie pour ce que tu as fait pour moi.

— C'était mon devoir…

— Je t'en remercie quand même. Je te demande de porter ce vin frais sur les tombes du village afin de remercier également les anciens."

Mankunku ne protesta pas et porta le vin. Il revint, s'assit sur la chaise à peau de chèvre près du vieux mâchant sa kola.

"Ta Lukeni, j'ai porté le vin aux tombeaux. Que se serait-il passé si je ne l'avais fait ?

— Tu le sais bien, *nganga*, toi qui as été choisi et par ta naissance et par tes yeux verts.

— Non, je ne le sais pas.

— Tu as fait appel à eux pour me guérir, je dois les remercier.

— Crois-tu vraiment que nous ne pouvons rien faire sans eux ?

— Oui mon enfant, rien. Ils sont les intermédiaires entre le Tout-Puissant et nous ; ils contrôlent tout, la pluie, le vent, les saisons, les forces de la nature. Nous ne pouvons rien sans eux. Ils ne sont pas tous bons. Toi qui es *nganga*, savant, ton travail est de recueillir ces forces, ces connaissances pour que cela nous serve à nous, hommes de chair et d'os vivant sur la terre.

— Je ne doute pas de ta sagesse Ta Lukeni, mais je suis sûr qu'on peut faire des choses sans eux.

— Non, jamais ! Ce qu'on fait sans leur consentement est mauvais.

— Mais non, je peux guérir quelqu'un sans leur secours.

— Il ne peut y avoir de guérison sans eux, c'est impossible ! Si tu n'avais pas fait appel à eux, je serais mort."

Le jeune Mankunku se tut. Que dire ? Il n'avait pas fait appel à eux, exprès, et il avait réussi à guérir le vieux.

"Tu ne me crois pas ? demanda ce dernier devant son silence.

— Si", s'empressa de répondre le jeune homme.

Après un moment, le vieux reprit :

"Et puis il faut le croire, sinon que deviendrait le clan ? Quel lien commun nous unirait ? Sans ce respect des anciens, qui se rappellerait de notre passé, de notre histoire ? Saurais-tu aujourd'hui que nos arrière-grands-parents venaient de Kongo dia Ntotila ? Qui s'occuperait de nous, les vieux ? Je serais peut-être en train de mourir seul, dans quelque case mal bâtie laissant passer la pluie. Tout se tient, mon enfant.

— Je suis d'accord. Mais entre préserver ce qui nous est commun et se soumettre aveuglément à des ancêtres morts depuis longtemps, il y a quand même une grande marge.

— Attention, mon enfant, que ta bouche ne profère point de paroles qui peuvent se retourner contre toi.

— J'ai découvert le *kimbiolongo* tout seul, qu'est-ce que les anciens ont à voir là-dedans ?

— Tu as découvert cela grâce à eux. Ils ont choisi d'aider le peuple par toi.

— Mais alors, à quoi sert une connaissance qu'on cache au peuple comme le fait l'oncle Bizenga ?

— Si tout le monde était forgeron, forger ne serait plus un métier noble.

— Tous les métiers seraient nobles !"

Le vieux ne répondit pas. Mankunku n'en put plus de se retenir, il parlait maintenant avec ardeur :

"Les ancêtres ne peuvent pas avoir tout connu. Je me sens à l'étroit, Ta Lukeni, je veux bouger, je veux de l'espace. J'ai envie de tout bousculer, de réinventer le monde afin de trouver une place qui puisse me donner la joie et la paix. Est-il mauvais d'ajouter d'autres connaissances à celles laissées par les aïeux ? Ils ne connaissaient pas le rythme solaire des saisons que j'ai découvert ; nous avons de meilleures récoltes, est-ce un mal ? Qu'ils soient notre inspiration, d'accord, mais le monde change, tout change !

— Attention, ne sois pas présomptueux…

— Il nous faut une nouvelle connaissance ! Il n'est plus suffisant de n'être que le relais des savoirs transmis par les anciens, de n'être que le dépositaire d'un savoir à jamais figé. Il nous faut quitter cette face inerte de la connaissance et rechercher sa face active qui est celle qui consiste à la traquer, à la débusquer où qu'elle se cache !

— La recherche de la connaissance ne veut pas dire rompre avec son héritage, mon enfant, tout doit se suivre ; la Lune rattrape la Lune, le jour rattrape le jour et les saisons les saisons ; tout se suit, tout s'ordonne.

— Oui, mais avant que le jour ne rattrape le jour, il y a la rupture de la nuit qui donne une nouvelle virginité à celui qui se lève.

— Le jour qui se lève est un jour déjà levé, tout n'est que perpétuel recommencement, tout est cercle parfait.

— Non, Ta Lukeni, le jour qui se lève est un jour qui n'est pas encore levé : c'est un nouveau départ ; tout est perpétuel commencement, tout est nouveau départ.

— Il n'y a plus de discussion possible entre nous, tu refuses la conception du monde que les ancêtres nous ont léguée.

— Il n'y a rien de nouveau à apprendre dans le monde, cria-t-il passionnément, ce monde est trop vieux, il est à bout de course ! J'en ai marre de tous ces symboles mille fois utilisés, de ce vin de palme qu'on crache au vent à chaque occasion, de ce respect dû à un oncle maternel indigne, de…"

Il se tut brusquement comme s'il avait senti qu'il était allé trop loin. Une ombre de tristesse passa sur le visage du vieux.

"Tu es un destructeur, Mankunku.

— Non, je ne suis pas un destructeur.

— Ce n'est pas une accusation, mon enfant, tu es comme tu es. Je constate seulement que tu es injuste envers nous car tu juges notre société, nos us et coutumes sur ce que tu vois actuellement. Crois-moi, autrefois, lorsque l'oncle prenait en charge son neveu, il devenait vraiment son tuteur, il le guidait à travers la vie plus que ne l'aurait fait son père géniteur ; de même, les guérisseurs ne faisaient pas ce métier pour s'enrichir mais jouaient simplement le rôle attendu d'eux dans le grand dessein que nous avons tracé ensemble pendant des siècles, les ancêtres et nous. Maintenant j'ai la même impression que toi, les effets pervers sont partout, les oncles deviennent indignes, les guérisseurs cupides, les rites des symboles vides. J'ai vécu jusqu'ici dans une société dont l'idéal était sa propre perpétuation. Nos ancêtres et nous l'avions tellement bien construite qu'on avait peur de tout individu qui s'écartait des normes admises, car le moindre faux mouvement, le moindre élément retranché ou ajouté risquait de faire écrouler tout l'édifice. Or, toi, tu as fait des choses qu'on ne devait pas faire, tu es allé à l'encontre de tout, on ne sait pas qui tu es, es-tu guérisseur, chasseur, tisserand, forgeron ? Tu as raison, ce monde est à bout de course, il ne tiendra plus très longtemps. Que puis-je dire ou faire ? Je suis très vieux, Mandala Mankunku. C'est peut-être grâce à des hommes comme toi que nous survivrons encore.

— Je te remercie, Ta Lukeni, ce n'est qu'à toi seul que je peux parler ainsi à cœur ouvert, sans être frappé d'ostracisme par le clan."

Les deux se turent après cette longue discussion sans concession. Le vieux s'était renfoncé dans son siège, les yeux fermés. Mankunku sentit une immense affection l'envahir, il allongea le bras et lui prit la main. Il ne s'était jamais senti aussi proche de quelqu'un, même pas de sa mère. Lukeni ouvrit les yeux et grimaça un sourire triste.

"Hier soir, j'ai fait un rêve étrange, Mandala : j'ai vu des cadavres vivants, le visage blanc comme la Lune, avec une pilosité bizarre comme on n'en trouve que dans les pays de l'ombre, arriver de sous la mer dans de grandes baleines. Mais voici ce qui m'a fait peur : ils se sont éparpillés sur nos terres comme une nuée de criquets, ils ont marché sur les tombeaux des ancêtres, détruit leurs coupes, pillé nos biens. J'ai invoqué les ancêtres, je les ai appelés au secours, ils ne m'ont pas entendu, ils ne sont pas venus… Tout cela me dépasse, je suis trop vieux. Vivement que je meure."

Mankunku était secoué. Il apercevait dans le regard du vieux Nimi A Lukeni ce petit vacillement, il sentait dans sa voix ce petit tremblement à peine perceptible qu'on décèle souvent chez les vieillards qui approchent de la fin de leur vie sur cette terre. Que voulait dire tout cela ?

"Ce n'est qu'un rêve, Ta Lukeni. De toute façon, si cela arrive, nous trouverons une contre-force, un contre-poison. Allez, bonne nuit et tâche de dormir, n'oublie pas que tu es en convalescence."

Le vieux Lukeni mourut dans la nuit.

II

*C'étaient de très grands vents sur toutes faces
de ce monde,
De très grands vents en liesse par le monde,
qui n'avaient ni d'aire ni de gîte,
Qui n'avaient garde ni mesure, et nous
laissaient, hommes de paille,
En l'an de paille sur leur erre… Ah ! oui, de
très grands vents sur toutes faces de vivants !*

Saint-John Perse, *Vents*.

9

On racontait :

"Ils viennent du fond des eaux, du pays des ombres où vivent les morts…" ou encore : *"Ils sont venus dans de grandes baleines soufflant de la fumée, ils ont surgi de sous l'océan où habitent les esprits…"*

Les premiers réfugiés arrivaient des régions bordant l'Océan ; c'étaient des familles disloquées, des êtres éclopés fuyant les travaux forcés, l'esclavage. Ce n'étaient plus des communautés mais des clans divers, brisés, brassés, s'entraidant, s'appuyant les uns les autres, traînant de maigres ressources, qui une chèvre, qui une natte, qui un régime de bananes, tous fuyant l'envahisseur commun, leurs rivalités intestines rentrées. Ils n'allaient nulle part, ils s'arrêtaient dans les territoires vides qu'ils trouvaient. À peine essayaient-ils de s'installer que le contrôle des étrangers les rattrapait. Ils se levaient alors un peu plus nombreux, et reprenaient la route vers l'intérieur, jusqu'à ce qu'ils tombent sur d'autres clans qui souvent les accueillaient, parfois les massacraient…

On racontait encore :

"Il ne faudra pas les toucher car leur peau fragile laissera sur vos mains des paillettes diaprées comme la pierre de schiste ; leur visage est comme la lune car ce sont des cadavres vivants, des zombies…"

Lorsque les premières populations virent ces êtres étranges débarquer sur leurs rivages, elles eurent peur. Certaines s'enfuirent comme on fuit devant un monstre, d'autres encore les reçurent avec les honneurs, croyant que c'étaient des messagers envoyés par les ancêtres. Quand ils comprirent qu'ils n'étaient que des conquérants étrangers, il était trop tard, leur terre était conquise et leur pouvoir anéanti.

On racontait aussi :

"Il ne faudra jamais les combattre car ils auront des armes extraordinaires qui cracheront le tonnerre…" et d'autres ajoutaient : *"Il faudra les accueillir, s'allier avec eux et leur puissance afin de dominer à notre tour les ethnies voisines…"*

Au début, les envahisseurs étrangers dirigeaient eux-mêmes la conquête, allant de village en village, à la tête de leur petite armée. Mais, bientôt, ils dominaient des territoires plusieurs fois plus grands que leur propre pays. Ne pouvant être partout à la fois pour consolider leur pouvoir et continuer à conquérir d'autres terres, ils changèrent de stratégie. Comme le sorcier utilise la chouette ou le hibou pour voyager et porter ses malédictions sur une maison lointaine, ils utilisèrent les miliciens, les *mbulu-mbulu*. Ils recrutèrent des gens dans les ethnies qu'ils avaient soumises, soit par la force des armes, soit encore plus souvent par la corruption des chefs. Ils les vêtirent d'uniformes kaki à culottes longues descendant jusqu'aux genoux, leur mirent une chéchia rouge à pompon noir sur la tête, leur répétèrent mille et une fois : "Nous sommes les chefs nous sommes beaux, intelligents Dieu nous a envoyés pour vous civiliser vous êtes noirs, la couleur du démon, de la nuit, du serviteur, vous êtes esclaves macaques regardez vos cheveux crépus vos lèvres charnues vos nez camus alors que nous avons les cheveux raides le nez fin et pointu les lèvres minces nous sommes la race des seigneurs reculez redressez la tête garde-à-vous !…" Ils leur donnèrent des fusils, des galons, leur apprirent à se mettre au garde-à-vous devant le drapeau. Puis ils leur répétèrent mille et deux fois : "Vous ici vous avez été choisis parce que vous avez de la chance vous êtes un tout petit peu plus civilisés que les autres alors ne laissez pas passer ce privilège nous allons vous envoyer mater ces macaques qui se cachent dans la jungle comme des singes afin de ne pas payer l'impôt de ne pas livrer le poids de caoutchouc ou d'ivoire attrapez-les battez-les chicotez-les faites tout ce que vous voulez l'essentiel est que ça rapporte garde-à-vous ! Retournez-vous inclinez un peu plus la tête plus vite sales Nègres sauvages anthropophages inclinez un peu plus la chéchia voilà c'est bon saluez maintenant le drapeau un pas en arrière obéissez aux maîtres sinon gare à vous reposez armes repos ! Allez dans les villages attrapez tous ceux qui résistent et tous les paresseux qui ne veulent pas récolter du caoutchouc faites-les prisonniers chicotez-les jusqu'à ce que le village paie son impôt compris sales macaques sinon c'est vous qui paierez à la place mais si vous faites bien votre travail vous serez les chefs nous vous ferons chefs comme nous compris vous y en a compris armes à l'épaule fixe en avant marche une deux une deux…" Ils les lâchèrent, chiens affamés, aveugles noirs, *mbulumbulu* de malheur, hiboux, chouettes, agents vecteurs de domination, assassins, voleurs, violeurs ! Où allez-vous ainsi, courant et pillant ?

… Les voici qui arrivent dans un village, surgissant brusquement de tous côtés, leur fusil à la main, criant d'une voix rauque dans leur langue de barbares. Femmes affolées, cris des enfants, hommes fuyant se cacher dans les hautes herbes. Ils tirent des coups de feu en l'air, détruisent deux ou trois maisons, abattent deux ou trois chèvres avec leur fusil et enfin se calment. Leur chef, celui qui a des galons, hurle alors :

"Où est le chef du village ?"

Il sort de l'endroit où il s'est caché. S'amène en tremblotant sur ses jambes qui le maintiennent à peine, on l'attrape au collet, on le jette par terre, il reçoit quelques coups de bâton, on l'humilie devant sa femme, ses enfants, ses protégés. Coups de feu en l'air pour rappeler de quel côté se trouve la force. Puis on demande le tribut des vainqueurs.

"C'est toi le chef ? Fais-nous apporter immédiatement dix poules grosses et grasses, deux chèvres, deux moutons, trois régimes de bananes. Ensuite prépare-nous quelques poulets bien tendres pour manger tout de suite."

Le chef tremble toujours, du sang coule de son nez, de sa bouche. Il articule à peine :

"Nous n'avons pas de moutons dans le village.

— Je ne veux pas le savoir !"

On s'affaire, on court, on chasse, kéké kéké kéké, viens ici petit poulet, voici de bons grains de maïs, viens, allez petit, approche donc, tiens voilà d'autres grains, kéké kéké kéké, c'est ça, approche, crac, il est saisi, décapité avec neuf autres qu'on jette dans l'eau bouillante, venez les enfants, venez vite, plumez les oiseaux, ne faites pas attendre ces miliciens de malheur, les gosses se précipitent manquant de s'ébouillanter, arrachent les plumes... Plus loin, bê bê, les chèvres qu'on tire, qu'on traîne, qu'on attache à l'arbre. Les miliciens se promènent, orgueilleux, fiers, indifférents à l'inquiétude des villageois, le fusil à cartouches sur l'épaule, se sentant invulnérables grâce à l'étranger derrière eux. Visages noirs contrastant violemment avec la chéchia rouge à pompon noir posée sur la tête. Ils viennent de très loin, du Nord pour piller les villages du Sud, du Sud pour piller et terroriser les villages du Nord afin d'asseoir la loi du nouveau maître... Les femmes ont peur, celle-ci essaie de se cacher mais il l'a vue, approche femme, non, je ne veux pas, approche, non ; elle court, essaie de se frayer un chemin à travers les buissons, il se met à la suivre en courant, il regarde les fesses de la femme qui s'agitent dans la course, ses yeux de fumeur de chanvre brillent, il est excité, il bande, il est un homme, il court plus vite, plus vite femme, non, trop tard, il la rattrape, l'attrape, jette son fusil, l'empoigne des deux mains, elle crie, il la jette par terre, son visage est griffé dans sa chute par les buissons épineux, ses yeux mouillés de larmes et sa bouche crient grâce, pitié, mais il ne voit pas, il n'entend pas, il lui arrache le pagne autour de sa taille, elle crie, le mord, il la gifle, fait sauter ses boutons, elle se roule sur le ventre, il la remet sur le dos, elle serre ses cuisses, il l'assomme d'un coup de poing, écarte ses jambes, son pénis dur la transperce, déchire, pénètre, viole !… Ah ! tirailleurs de malheur, *mbulu-mbulu* assassins, voleurs, violeurs !…

Les miliciens ont mangé et bu ; ils sont contents. Leur chef, celui qui a des galons et qu'ils appellent *capita*, a mangé la partie la plus recherchée du poulet, le gésier : dix poulets, dix gésiers. Il est repu et, les mains croisées sur sa panse rassasiée, il somnole à l'ombre d'une véranda, pendant que deux femmes lui éventent le visage avec des éventails de paille tressée ; un enfant accroupi à ses pieds lui extrait des orteils de grosses chiques blanches et rondes à l'aide d'une épine ; parfois, en un faux mouvement, il enfonce un peu trop le bout de son instrument dans la chair, la puce éclate en déversant de milliers de petits œufs blancs tandis que le visage du milicien tressaille en un instant de douleur et de jouissance. Les autres miliciens continuent à boire, à taquiner les femmes, à fumer leurs gros cigares de chanvre brut… Attention, le *capita* a fini sa sieste. Il se lève, pose précautionneusement ses pieds, évitant d'irriter les plaies laissées par l'extraction des chiques.

Il lance un coup de sifflet. Ses subordonnés se précipitent, clairon, on rassemble tout le monde au centre du village sous le soleil brûlant : "Voilà, nous avons été très bons avec vous. Nous n'avons tué personne, nous n'emmenons aucune femme avec nous…" Il ne peut continuer. Les vapeurs de la bonne sauce pimentée qui a accompagné les gésiers lui remontent jusqu'à la glotte ; il rote de satisfaction et se masse le bas-ventre. Il peut alors continuer : "Mais attention ! Nous allons revenir dans cinq jours. Chaque homme et chaque femme de ce village devra nous présenter trois kilos de caoutchouc ! Trois kilos, vous comprenez, sinon gare à vous !" Ses subordonnés ont compris "garde-à-vous". Ils claquent tous les talons et redressent leur fusil ; dans sa précipitation l'un d'eux appuie sur sa gâchette ; le coup arrache la chéchia rouge du *capita* qui se fâche. Il donne un coup de pied aux fesses du coupable et celui-ci tombe, visage contre terre. Il se relève en tremblotant et tend la chéchia qu'il a ramassée à son chef. "Repos !" hurle-t-il. "Trois kilos par tête d'habitant sinon nous retiendrons vos femmes prisonnières jusqu'à ce que la quantité nécessaire soit livrée ! Compris ? Ou alors nous couperons une oreille pour chaque kilo qui manque, puis un doigt, puis une main. Gare à vous sales macaques qui vous cachez dans les forêts comme des singes pour ne pas payer l'impôt nous sommes les chefs nés pour commander arme à l'épaule fixe en avant marche trois kilos par tête compris gare à vous !" Il est content. Il replace sa chéchia, prend son fusil et entreprend de quitter le village. Les miliciens tirent des coups de feu en l'air, puis désignent de force quelques hommes du village pour porter leur butin jusqu'à la prochaine étape ; ils tournent le coin du village, ils disparaissent, ils sont partis…

Mais on racontait aussi :

"Ils arriveront et se répandront comme des fourmis magnans, ils dévoreront notre terre, ils marcheront sur les lieux de nos ancêtres et les mépriseront, ils nous déposséderont de tout ! Il faudra trouver un moyen pour les combattre, les arrêter et les renvoyer par la mer d'où ils sont venus."

Et d'autres ajoutaient encore :

"Il faudra les écouter, les surveiller. Ainsi nous apprendrons. Quand nous aurons suffisamment appris, nous utiliserons leurs propres armes pour les attaquer et ils quitteront notre terre plus vite qu'une flèche poursuivant une antilope."

10

Si des villages avaient été détruits ou soumis, des clans et des ethnies entiers dispersés ou vaincus, si des chefs s'étaient ralliés aux nouveaux venus, tous ne l'étaient pas de la même façon ni au même degré. Il y avait ceux qui ne luttaient pas et s'enfuyaient en abandonnant tout ou bien s'agenouillaient devant l'étranger en le prenant pour l'ancêtre longtemps attendu ; il y avait ceux qui luttaient un peu ou plutôt faisaient semblant de lutter puis se soumettaient ; il y avait ceux qui se faisaient rouler à cause de leur naïveté ou de leur sens de l'hospitalité ; il y avait ceux qui luttaient héroïquement et se faisaient massacrer, enfin il y avait ceux qui avaient su résister et faire prisonniers des miliciens.

Depuis la conversation qu'il avait eue avec le vieux Lukeni au sujet du rêve de ce dernier, Mankunku se sentait oppressé, mal à l'aise, et s'attendait à voir une catastrophe quelconque s'abattre sur le pays. L'arrivée de nombreux réfugiés hagards et faméliques le confirma dans ses appréhensions et le plongea dans un état quasi dépressif. Il ne jouait plus de son *kisansi* et se mit de nouveau à errer çà et là. Il ne redevenait calme, attentif que lorsque de nouveaux réfugiés se présentaient ; il les écoutait, les interrogeait, se faisait préciser un point ou deux, puis allait s'enfermer dans sa demeure. Il devait exister un remède à ce malheur, une contre-force, un contrepoison ! L'univers ne pouvait pas sécréter quelque chose qu'il était incapable d'enrayer d'une manière ou d'une autre ! Il cherchait, cherchait. Les réfugiés, une fois interrogés, étaient nourris puis on les priait de continuer leur chemin hors des terres du clan. Après de nombreuses conversations avec ces malheureux arrachés à leur terroir, Mandala Mankunku fit plusieurs fois le tour du village, repéra toutes les pistes, les collines, les rivières…

Un jour enfin il demanda au chef Bizenga qui, depuis sa nomination, se faisait plutôt appeler roi, de convoquer tous les habitants y compris les enfants pour discuter d'un plan contre d'éventuels envahisseurs. Son père, l'aîné des forgerons, parla, d'autres vieux parlèrent sans arriver à une conclusion satisfaisante pour Mankunku. Ils parlaient d'invoquer les ancêtres, de leur demander de bénir leurs armes qu'ils déposeraient pendant quatre nuits et quatre jours sur leurs tombes afin de les rendre redoutables. Mankunku trouvait tout cela puéril et inefficace, comme si l'on voulait guérir quelqu'un de la faim en lui décrivant combien est délicieux un plat de poulet à la pâte d'arachide. Il attendait son tour calmement, seuls ses yeux, par leur incandescence verte, trahissaient son impatience. Il regrettait vivement l'absence du vieux Lukeni, cet homme qui avait tant vu et qui connaissait tant de choses. Son tour vint enfin ; il se mit à exposer ses idées :

"Voilà, je crois que j'ai compris la stratégie de ces envahisseurs, de leurs miliciens et de leur victoire facile. Ils
arrivent toujours brusquement et jouant de la surprise
qui est l'alliée de la panique comme les puces sont les
amies des chiens, ils matent rapidement des populations
insouciantes. Or on ne peut combattre la surprise que
par la surprise. Voici donc ce que nous allons faire : nous
placerons des sentinelles sur les mamelons qui entourent
le village et sur toutes les pistes praticables qui mènent à
notre cité ; dès qu'elles verront ces miliciens de malheur,
elles ululeront le cri de la chouette, mauvais oiseau. Tous
les hommes, les femmes, les enfants se précipiteront hors
du village et se cacheront dans les buissons ; nous n'y
laisserons qu'une dizaine de personnes faisant semblant
de vaquer à leur train-train quotidien. Les *mbulu-mbulu*
arriveront, se précipiteront dans le village, croyant créer
la surprise, la panique et…"

Les voilà brusquement cernés ; chaque homme a
choisi sa cible, les miliciens surpris ne peuvent réagir ;
l'un d'eux se veut courageux, tente de braquer son fusil
mais la lame acérée d'une flèche s'enfonce entre ses deux
yeux. Il tombe la tête en arrière, sa chéchia rouge à pompon noir voltige dans les airs alors que son coup de feu
se perd dans les nuages. Mankunku donne l'ordre d'arracher les fusils. Cris de victoire. Ils sont houspillés, battus,
les chéchias tombent, on arrache les galons du *capita*, les
femmes leur crachent au visage, les enfants s'y mettent,
les uns avec de gros morceaux de cailloux, les autres avec
de grosses cannes de bambou vert. Ces hommes fiers qui
se croyaient invincibles tremblent de peur ; le visage gris,
ils demandent pardon, non, on continue à les frapper,

violeurs de femmes, voleurs, assassins, ne les tuez pas, crie Mankunku, arrêtez, arrêtez, les femmes continuent à leur tirer les cheveux et les oreilles, donnent des coups de pied au ventre, aux couilles, ils ont peur, leur maître n'est pas là ; ils sont perdus, beaucoup ont les lèvres tuméfiées, fendues, le sang coule, on les frappe maintenant à coups de crosse, arrêtez, mais arrêtez donc, continue de crier Mankunku, ne les tuez pas, ne les tuons pas... Enfin on l'écoute, on cesse de frapper, on les traîne par terre, on les attache tous les quinze et on les laisse en plein soleil au centre du village. Dès que les hommes se sont éloignés, une femme réfugiée s'approche lentement du chef des miliciens, l'oblige à la dévisager en l'interpellant, puis lui crache au visage ; elle vise alors son bas-ventre et lui décoche un formidable coup de pied dans les testicules. Le milicien hurle de douleur et ne pouvant masser ses organes douloureux à cause de ses mains attachées, roule sur le ventre, essayant de calmer sa douleur en frottant sa partie atteinte sur le sol avec des mouvements saccadés avant arrière. La femme sourit et regagne son refuge à l'ombre. Elle s'est vengée.

On fait les comptes : quinze fusils neufs à cartouches, cent quatre-vingt-dix-neuf vraies cartouches de guerre ! Victoire ! Finis la sagaie et même le vieux fusil à pierre de silex. On entre dans une ère nouvelle. Qui disait que ces gens étaient invincibles ? On se partage les cigarettes, les cigares de chanvre, les uniformes, on découpe les chéchias et chacun en prend un morceau pour le coudre en bourse afin d'y conserver ses fétiches et gris-gris.

Le roi Bizenga qui en fait ne régnait que sur un grand village fut obligé de reconnaître l'habileté de son neveu.

Quant à la mère, elle était si fière de son fils qu'elle ne se faisait plus appeler que par "mère de Mankunku". Tout le village célébra la victoire : vin de palme et d'ananas, tam-tams et danses, balafons et *sansi*, chants. Pour la première fois les envahisseurs, du moins leurs agents, avaient été vaincus par les armes et cela comptait pour un peuple. Mais Mankunku sentait que ce n'était pas fini ; ç'aurait été trop facile. Il était sûr que les étrangers ne s'en tiendraient pas là, ils essaieraient par tous les moyens de libérer leurs miliciens, aussi l'heure était-elle à la vigilance. Des luttes à venir étaient à prévoir, il fallait s'y préparer. Les miliciens prisonniers furent contraints de leur apprendre le maniement des fusils et Mankunku créa une armée dont l'ossature était formée par ces armes à cartouches.

Cette armée se mit à attendre l'arrivée des envahisseurs.

11

À la fin de la troisième semaine, c'est-à-dire au douzième jour de l'état d'alerte – la semaine avait alors quatre jours –, Mankunku fut obligé de changer la stratégie de son armée ; beaucoup trop de ses hommes étaient victimes des fétiches et sorcelleries de l'armée des envahisseurs étrangers. Cela avait commencé dès la première semaine. Après avoir veillé trois jours et quatre nuits grâce à la noix de kola, trois soldats de l'armée de Mankunku crurent voir des dizaines de miliciens en chéchia rouge, longues culottes et brodequins, déferler sur le village en un tonnerre de coups de feu. Sans hésiter, héroïquement, ils se lancèrent à leur tour à l'assaut, tirèrent des coups de feu dans toutes les directions, blessant ainsi plusieurs de leurs camarades ; il fut impossible de les arrêter ; ils hurlaient, couraient, poursuivaient leurs ennemis jusqu'aux endroits les plus invraisemblables. Lorsque enfin ils se calmèrent, Mankunku avait perdu deux hommes et une vingtaine de cartouches.

Au milieu de la deuxième semaine de veille, ce fut plus grave encore. Une dizaine de soldats se virent attaqués par des êtres étranges au corps transparent et au visage pâle comme la Lune ; après un moment de panique ponctué de cris et de hurlements, ils s'emparèrent de leurs fusils à cartouches et firent feu dans toutes les directions. Hélas, cela ne semblait ni tuer ni effrayer les attaquants ; lorsqu'ils eurent épuisé leurs cartouches, les visages au corps transparent étaient toujours là, plus menaçants que jamais. Les soldats sortirent leurs couteaux, leurs lances et sagaies pour poursuivre l'ennemi ; certains, dans le désordre qui régnait, poignardèrent leurs propres camarades, d'autres couraient pendant quelques mètres avant de s'effondrer, épuisés. Lorsque tout se calma enfin, on ne releva aucun corps ennemi ; il y avait par contre plusieurs blessés de leur côté et une quarantaine de cartouches perdues. Le village ne comprenait plus rien à ces incidents, alors que les miliciens prisonniers, eux, reprenaient espoir, voyant là manifestement l'œuvre de leurs maîtres. Le roi Bizenga porta du vin frais sur les tombes du village, exhorta les anciens à protéger son armée ; il espérait aussi recueillir un signe prouvant que les anciens désavouaient Mankunku. Bizenga cachait cet espoir depuis longtemps, mais, après son offrande, sa décision fut prise : encore un incident de ce genre et il éliminerait Mankunku.

Mankunku de son côté était perplexe. Comment expliquer ce qui se passait ? Il décida de supprimer la noix de kola, mais les soldats, privés de cet adjuvant, ne purent plus veiller et s'assoupirent à leur poste. Ce ne fut qu'au douzième jour qu'il comprit ce qui se passait. Ce n'étaient pas les envahisseurs en chair et en os qui agissaient, mais leurs esprits malveillants qui attaquaient les hommes gardés trop longtemps en état de veille grâce au jus de la kola. Supprimer la kola et réduire la durée des heures de veillée étaient les seuls remèdes.

Il changea donc complètement son système de défense. Il ne fit plus veiller toute son armée ; il renvoya les soldats coucher chez eux le soir, les autorisa même à toucher à leurs femmes et ne garda plus que quelques sentinelles qui se relayaient ; en tout cas, plus personne ne veillait une nuit entière. C'est ainsi que Mandala Mankunku réussit à déjouer les manœuvres des esprits sorciers envoyés par l'ennemi.

Ils s'attendaient à une troupe de miliciens armés jusqu'aux cheveux, arrivant de préférence à l'aube ou même au milieu de la nuit pour attaquer le village et délivrer leurs amis toujours prisonniers, ce furent trois hommes qui arrivèrent un jour, à l'heure où le soleil est tout juste au milieu du ciel ; ou plutôt deux hommes armés et un troisième être bizarre, le visage non pas pâle, blanc ou transparent comme dans les rêves du vieux

Lukeni, mais rouge comme la crête d'un coq, la tête coiffée d'un casque blanc. Il était vêtu d'une chemise blanche à manches longues ; boutonnée jusqu'au col, elle portait sur les côtés deux grosses poches bourrées on ne savait de quoi. Contrairement à ses miliciens, il portait un pantalon blanc qui lui retombait à la cheville, au-dessus des pieds bien protégés dans de solides brodequins. À sa ceinture pendait une petite arme, un fusil miniature. Les deux hommes qui l'accompagnaient portaient, en plus de leur fusil, un gros paquet sur le dos ; ils parlaient la langue du pays et ne cessaient de crier, de répéter "Nous sommes venus en amis, ne tirez pas, amis, nous sommes des amis". Les sentinelles les entourèrent, arrachèrent les armes des miliciens et conduisirent les trois hommes au centre du village en ululant le cri de la chouette. Tout le monde sortit excité, curieux, pour voir cette créature étrange au visage rougeaud, au long nez, aux grandes oreilles rouges, "Ne tirez pas, nous sommes venus en amis, ne tirez pas, amis…". Et voici que les enfants pleurent, se serrent contre leur mère, effrayés ; ou alors, cachés derrière leur mère, ils sortent leur petite tête et demandent maman maman, qu'est-ce que c'est, ça c'est quoi ça, en montrant du doigt la chose, c'est un homme mon garçon, mais pourquoi il a le visage rouge comme la poudre de *tukula*, c'est comme ça qu'ils sont chez eux, c'est où chez eux maman, je ne sais pas, ça doit être là où le soleil sombre le soir après avoir bu du sang, mais pourquoi qu'il ne reste pas chez lui, qu'est-ce qu'il vient faire chez nous, tais-toi donc sale gosse, intervient une grosse voix mâle, laisse les grandes personnes discuter, l'enfant retire sa tête, se serre encore plus contre le rempart que forme le corps de sa mère, "Amis, ne tirez pas, nous sommes venus en amis…".

Le chef Bizenga sort. À sa droite, Mankunku son neveu, l'homme le plus admiré du village, médecin, savant, guerrier et poète ; derrière eux, le conseil du roi. Le roi s'assied sur son siège sculpté, ses pieds reposant sur la peau de léopard que lui a offerte Mankunku ; toute sa suite l'imite. Debout se tient sa garde, tenant ostensiblement non pas de vieux fusils à pierre de silex de fabrication locale et se chargeant par le canon, mais des fusils à cartouches saisis sur les troupes de l'envahisseur.

"Donnez un siège à l'étranger."

On pose un siège en peau de chèvre, à l'ombre, en face du chef Bizenga. L'étranger s'assied, ses guides s'asseyent plus loin. Il ôte son casque, essuie la sueur qui lui coule du front. Maman, maman, pourquoi ses cheveux sont raides comme la barbe de maïs, idiot, c'est le chapeau qu'il porte qui les aplatit, maman, maman, je peux les toucher, non, ils vont s'arracher et rester entre tes doigts comme les ailes des termites volants, maman, maman, tais-toi, crie la mère excédée.

"Nous sommes des amis, nous sommes venus en paix."

C'est la première fois que l'étranger ouvre la bouche : tous les regards s'y plongent ; il semble bien qu'il ait une langue rose et des dents blanches comme tout le monde mais les sons qui en sortent sont différents, incompréhensibles, bizarres. Quel parler barbare ! Pendant que l'interprète, un de ses guides, traduit, l'étranger ouvre les boutons de ses manches, roule celles-ci jusqu'aux coudes, dégrafe deux boutons de sa chemise à partir du col et s'évente. Maman maman, regarde, il a les bras blancs comme de la farine de manioc et la poitrine velue comme un chimpanzé, petit idiot, c'est parce qu'il vient de là où habitent les ombres, un pays où il n'y a pas de soleil, maman maman, est-ce que je peux toucher sa peau, non mon petit, les éclats resteraient dans ta main comme les écailles de poisson, j'ai peur maman, j'ai peur du type au visage rouge et aux bras blancs, flap, une gifle, je t'ai dit de te taire, gronde une grosse voix mâle.

Le chef Bizenga fait un signe. On lui apporte du vin de palme dans une calebasse. Il la tend à son hôte ; l'étranger allonge le bras, saisit le récipient, hésite à le porter à sa bouche. Le chef Bizenga le reprend, le porte à sa bouche, en boit plusieurs gorgées pour montrer à l'étranger que la boisson n'est pas empoisonnée. Il la redonne à son invité. Visiblement gêné, l'hôte essuie subrepticement l'endroit où les lèvres du roi ont touché la calebasse et goûte à peine, du bout des lèvres.

"Nous sommes des amis, nous sommes venus en paix", répète-t-il. (L'interprète traduit.)

"Nous t'avons offert un siège, nous t'avons offert du vin frais", répond Bizenga.

Traduction de l'interprète : "Nous te recevons également en amis.

— Je vous remercie, mais, reprend Bizenga, nous ne comprenons pas cette sorte d'amitié. Vous nous envoyez des hommes armés voler nos troupeaux, piller nos récoltes, violer nos femmes, saccager et brûler nos maisons, puis vous venez en criant paix, paix, nous sommes venus en amis. Si c'est cela qu'on appelle amitié dans vos pays lointains, ce n'est pas ainsi que ça se passe chez nous."

Traduction de l'interprète : "Vous et les hommes que vous avez envoyés êtes des voleurs de troupeaux, des violeurs de femmes, des pillards. C'est ce que vous faites dans vos pays lointains, mais ne venez pas nous parler ici de paix, paix, amis, amis !"

L'étranger n'est pas content d'être traité de voleur et de violeur par ces indigènes : son visage devient plus rouge encore. Maman maman, son visage brûle, il va prendre feu, clac, une taloche, je t'ai déjà dit de te taire espèce de gosse têtu, tais-toi ou je te renvoie à la maison. Le visage perd un peu de sa couleur, il est civilisé et diplomate, et il est seul parmi une horde de visages hostiles, il doit donc se contrôler :

"Crois-moi, ô grand chef, vous vous trompez sur nos intentions. Nous sommes vraiment venus en amis. Il est vrai que quelques miliciens incontrôlés saccagent et pillent ; je suis au courant de cela, mais c'est une infime minorité qui n'a pas suivi nos ordres. Je sais d'ailleurs que vous en avez ici qui sont prisonniers, je m'en réjouis ; rendez-les nous et nous les châtierons comme notre loi l'exige. Quant à nous, nos cœurs sont blancs comme neige et ma présence ici l'atteste clairement."

Traduction de l'interprète : "Nous n'avons pas envoyé ces miliciens ici, ils ne sont pas venus sur nos ordres. Remettez-les, nous les fusillerons comme notre loi l'exige. Quant à nous, croyez-moi, nos cœurs sont blancs comme… comme… – l'interprète hésite, cherche, trouve – nos cœurs sont blancs comme les cheveux blancs de la sagesse.

— Je suis heureux d'apprendre que le cœur de l'étranger est blanc comme les cheveux blancs, signe de sagesse.

Je suis également content d'apprendre que ces *mbulu-mbulu* de malheur ne sont pas venus ici par vos ordres. Ce sont certainement des mutins qui ont volé des armes. Je propose à l'étranger de ne pas les fusiller comme l'exige sa loi, nous les punirons plutôt nous-mêmes, nous les enterrerons vivants et un grand arbre de *nsanda* sera planté à l'endroit pour commémorer et sceller notre amitié."

Au nom de l'amitié offerte, Mankünku intervient sans demander la parole :

"Ma Bizenga, n'écoute pas cet homme, sa parole est gluante comme la sève de gombo, on ne peut la retenir. Il ment sûrement. C'est lui et ses frères qui ont envoyé ces miliciens. J'ai interrogé ces derniers, j'ai discuté avec eux, ce sont bien ces étrangers qui leur ont donné les fusils et les ont lâchés sur nos villages et nos terres comme des vautours affamés. Cet homme ment, ne tombe pas dans son piège !"

Bizenga écoute les paroles de son neveu, agacé. Ce jeune homme né de la dernière pluie commence franchement à lui devenir insupportable. Faut-il le remettre tout de suite à sa place pour montrer une fois pour toutes qui est le chef dans ce village ou vaut-il mieux ignorer son intervention et continuer comme si de rien n'était ? Il hésite un moment et, habile, fait passer son silence, miroir de son incertitude, pour le silence des rois, gravide de sagesse. Quant à l'étranger, bien que ne comprenant pas la langue du pays, il croit deviner les paroles de cet homme grand au visage dur et renfrogné. Il tourne la tête et le regarde vraiment pour la première fois ; il se demande comment il a fait pour ne pas le remarquer plus tôt. Il sursaute en voyant la couleur de ses yeux et, comme pris de vertige devant leur profondeur, fasciné, il y plonge son regard : il s'enfonce dans l'épaisse profondeur du grand fleuve Nzadi, il y patauge, il s'y noie, il a peur, il émerge et se retrouve dans l'immense forêt équatoriale verte et inaccessible à son âme, il entend ses cris et ses rumeurs et, incapable de comprendre, il invente des horreurs et des fantasmes qui ne font qu'ajouter à son angoisse grandissante ; son esprit s'enfonce un peu plus dans ce cœur des ténèbres et s'affole, ne sachant comment échapper au piège de ce monde fantasmagorique et mystérieux. Son corps qui a aussi peur s'échauffe et des gouttes de sueur miroitent sur sa peau. Au prix d'un effort surhumain, son regard enfin jaillit vers la lumière du soleil brûlant de midi. Ouf ! il est sauvé, il arrache ses yeux des yeux verts de Mankunku ; il s'évente, prenant le temps de se ressaisir.

Mandala Mankunku a aussi plongé son regard au fond des yeux bleus de l'étranger, des yeux bleus outremer : y défilent d'innombrables forges fabriquant à une vitesse surprenante un nombre incalculable de fusils à cartouches et peut-être même des fusils à dix coups ; il ne comprend pas, il est terrifié, il cherche derrière ces usines et ces armes les tombeaux de leurs ancêtres, le secret de leur puissance ; il ne trouve pas, son esprit ne saisit pas la logique de ce monde et l'homme devant lui devient plus redoutable encore ; il veut échapper, retirer son regard mais celui-ci traîne encore sur la mer bleue des yeux de l'étranger ; il y découvre de grands bateaux sillonnant les océans, des hommes enchaînés, traînés sur la face de la terre et de la mer, d'interminables équipes de laptots. Son angoisse se fait plus oppressante, il respire mal, il a peur. Brusquement son regard s'échappe, revient vers le soleil éclatant et rassurant de midi, vers l'immense étendue verte, calme et sécurisante, de la grande forêt équatoriale. Sa poitrine se dilate, il respire mieux mais l'impression de malaise n'a pas disparu. Il se lève brusquement et sans un mot quitte la réunion : ce monde dans lequel veut les attirer cet étranger est un monde avec lequel il ne veut faire aucun compromis. Tout le monde le suit des yeux jusqu'à ce qu'il ne soit plus qu'une ombre à peine visible à l'orée de la forêt.

Le roi n'a pas fait un geste pour le retenir, au contraire il soupire d'aise. Quant à l'étranger au long nez, aux cheveux raides, aux oreilles rouges et qui fait peur aux enfants, il se détend perceptiblement sur son siège en peau de chèvre. Parmi le conseil, des regards hésitent, des jambes veulent bouger, des bras s'agiter et des langues parler pour réclamer le retour de Mankunku ou du moins sa présence dans cette discussion avec l'étranger ; mais déjà on n'ose plus, les vieux se taisent, le chef fait ce qu'il veut, offre et demande au puissant étranger ce que lui seul décide… Quelque chose vient de se briser brusquement entre le chef et ses conseillers !

L'étranger, suivi de son interprète, accompagne le chef Bizenga dans sa demeure pour une entrevue à huis clos. Ils entrent. Avant même qu'on lui offre un siège, il ouvre le grand sac que transportent les miliciens qui l'accompagnent : des tissus cirés de Hollande, des perles des Indes, des alépines, des basins, une grande couverture rouge, de la verroterie. Bizenga est ébloui. Il caresse l'alépine, fait couler les perles entre ses doigts, il rit, il aperçoit la couverture rouge, il la touche, la tâte, la déploie, l'enroule autour de ses épaules, la déroule, l'admire à bout de bras, rit et l'enroule autour de sa taille. Ah, ceci sera le nouveau symbole de la royauté ! Oui, lui dit l'étranger, tu es beau là-dedans, alors Bizenga ne se sent plus, il marche, se déhanche, se pavane. Tout cela est à toi, reprend l'étranger, et beaucoup plus encore ; beaucoup plus ? demande Bizenga, oui, vient la réponse empressée, même des fusils, même des fusils ? oui même des fusils.

Ah, il tâte, retâte, rejoue avec les perles, passe les colliers autour de son cou, je serai riche, je redeviendrai grand roi et je reconstruirai mon royaume, je soumettrai les clans ennemis, vous combattrez à mes côtés n'est-ce pas ? Bien sûr, lorsque nous aurons signé le traité d'amitié nous serons à vos côtés quoi qu'il arrive. Ah, il fallait me le dire plus tôt, je signe sur-le-champ, tout de suite !

L'étranger sort son dernier atout, une étrange calebasse en verre, puis un gobelet. Il y verse un peu de boisson et boit lui-même. Il l'emplit de nouveau à moitié et le tend au roi. Le roi goûte, il tousse, étonné. C'est fort, ça pique, c'est une boisson d'homme plus vigoureuse que le vin de palme ou même de maïs. Il vide son gobelet. Il est heureux, il en redemande.

"Signons d'abord le traité, lui dit l'étranger.

— Donnez-m'en encore une goutte, une toute petite goutte.

— Non, signons d'abord le traité et je te donnerai toute la bouteille.

— Je signe tout de suite tout ce que tu voudras. Après on tuera des poulets, des chèvres, on fera un festin, on plantera un arbre, l'arbre de l'amitié.

— Il faudra signer devant témoins."

Le roi appelle un de ses gardes : "Va chercher Nkazi, Mbemba, Mahuku – un clin d'œil vers l'étranger –, ils font toujours ce que je veux." Les trois arrivent à pas lents, gênés, mal à l'aise devant cette façon de traiter du chef, violation flagrante de ce qui avait été jusqu'ici la tradition communautaire.

Ils s'étonnent surtout de l'absence de Mandala Mankunku, l'homme le plus célèbre du pays. Mais l'étranger a ses trois témoins Il sort un tissu très mince de sa poche. Bizenga, intrigué, le prend, le tâte, le caresse, le regarde par transparence, et le rend à son propriétaire qui explique :

"Ce petit papier que voici, je dois l'envoyer chez moi, pour que le chef qui commande dans mon pays sache que vous êtes mes amis ; ainsi il vous enverra plus de cadeaux encore et, en cas de guerre, nous serons toujours à vos côtés. Nous protégerons votre pays comme si c'était le nôtre. Évidemment, en échange, nous vous demanderons quelques petites choses – une amitié véritable ne peut être à sens unique, elle doit être réciproque –, quelques ivoires de temps en temps, un peu de caoutchouc sauvage ou des palmistes, et si un jour nous en avons besoin, vous nous donnerez un coup de main pour construire une route par exemple, un pont. Voyez, c'est tout, ce n'est pas grand-chose." (L'interprète traduit.)

Bizenga écoute l'interprète puis se tourne vers ses trois conseillers comme s'il allait tenir compte de leur avis. Ils hésitent, puis Mahuku parle :

"Chef Bizenga, tu es le chef et ce n'est pas à nous de te rappeler certaines choses, mais tu ne dois pas ignorer qué, dans des occasions semblables, nous devrions tous être là. Nous ne connaissons pas cet homme, nous ne savons pas d'où il vient, ce qu'il cache derrière ses yeux bleus. Les anciens ont dit : « Si vous cherchez une fiancée, attendez la saison sèche, ce n'est qu'à cette saison-là que l'on peut savoir si la fille est propre parce qu'elle ne craindra pas de se laver à cause du froid. » Nous te disons donc, Ta Bizenga, d'attendre un peu. Rien ne nous prouve que cet homme est propre. Laisse-le repartir et nous en discuterons comme à l'accoutumée, en présence de tout le monde et en particulier de Mankunku."

Le nom de Mankunku déclenche la colère de Bizenga. Les conseillers, surpris, écoutent, tête baissée.

"Mandala Mankunku, Mandala Mankunku, n'y a-t-il que lui dans le pays ? Qui l'a élevé, qui lui a enseigné ce qu'il connaît ? Qui est le chef ici ? Ne comprenez-vous pas que les choses ont changé, que le monde a changé ? Ne voyez-vous pas que notre petit monde clos est fini ? N'êtes-vous pas assez intelligents pour comprendre que notre salut, nos futures richesse et puissance reposent sur cet homme ? Mandala Mankunku, Mandala Mankunku, j'en ai assez ! Assez ! Cet homme nous offre des fusils, des tissus, la paix, l'amitié ; il est prêt, lui et ses frères, à se faire tuer pour nous au cas où les voisins nous attaqueraient, et que vous demande-t-il en échange ? Quelques pièces d'ivoire, un peu de sève de caoutchouc sauvage qui pousse tout seul ! Et vous voulez refuser cela ?" (L'interprète traduit.)

L'étranger est content de voir la soumission des trois conseillers. Leur velléité de révolte n'est pas allée bien loin. Il tient le chef, le chef les tient. Il déploie deux copies de la feuille de papier, il s'approche de Bizenga et, l'index courant sur le document, explique en bon ami :

"Ce que vous voyez là est mon nom. Vous allez tracer ici ce signe X sous votre nom que j'ai écrit là ainsi que ceux de vos conseillers. Tenez, prenez ce stylographe."

Bizenga empoigne le stylo à pleine paume comme il empoigne sa machette. L'étranger lui rectifie la position des doigts sur le corps de l'instrument. Il trace le signe de croix, les trois autres en font autant. C'est fini, c'était fini ! Un simple signe venait de changer l'histoire du monde, de leur monde. Des années plus tard, lorsque leurs descendants iront manifester devant la maison du gouverneur pour dénoncer l'exploitation dont ils sont victimes, ce sera ce même bout de papier alors jauni et racorni qu'on leur montrera. Ils liront alors que leurs aïeux ont bien cédé la souveraineté du pays, qu'ils ont accepté, par ce bout de papier, de fournir un kilo d'ivoire pour un kilo de sel, de faire des journées de travail non rémunérées, de livrer une quantité mensuelle de caoutchouc et ainsi de suite, bref qu'ils ont accepté, soit par ignorance, soit par cupidité, cet échange inégal qui restera longtemps la marque de leurs relations avec le pays de ces étrangers.

Pour le moment on se congratule. L'étranger range soigneusement les documents dans ses grandes poches, en rabaisse les rabats, boutonne. Il est content, mission accomplie. Il sort d'autres bouteilles ; il en donne deux au chef Bizenga qui les range précautionneusement dans un coin pour lui tout seul, puis il ouvre les autres : on boit, on est heureux, les langues se délient. Même les trois conseillers ont oublié leurs réserves, ils aiment la boisson nouvelle. Tout le monde sort, on va au centre du village, vers le grand arbre compagnon du vieux Lukeni. Bizenga fait apporter son vieux fusil à pierre de silex, le bourre de poudre, tire un coup en l'air, taya a a a, résonne l'arme en évacuant de la fumée blanche. Le son s'en va, pénètre dans la forêt, ricoche sur les parois des montagnes et se transforme en écho, l'écho remonte vers la cime des arbres et fait peur aux oiseaux qui s'envolent en piaillant. Youyous de femmes, cris d'hommes et d'enfants qui applaudissent. Bizenga fait creuser un trou, enterre le fusil, fait apporter des cartouches qu'il enterre également sous l'arbre :

"À partir d'aujourd'hui, la guerre est finie entre nous. La paix régnera entre nos deux pays et nos deux peuples tant qu'un arbre ne poussera pas de ce fusil avec des cartouches comme fruits. Que les ancêtres nous entendent." (L'interprète traduit.)

L'étranger sort enfin un drapeau. Il le plante à côté du fusil enterré, le déploie pour que le public en distingue les couleurs.

"Ce drapeau est le symbole de mon pays. Tous ceux qui le touchent sont libres. Vous l'avez touché, vous êtes libres, vous êtes sous la protection de mon grand pays."

L'amitié est scellée. Tam-tams, feux, danses, joies ! On libère les miliciens prisonniers, on leur pardonne, on leur offre à boire. L'étranger regarde, amusé ; il n'a plus peur. Il est venu, il a vu, il a conquis. Il regarde les évolutions des danseurs et danseuses qui vont, viennent, se touchent. Tout d'un coup, il sursaute : où est donc passé l'homme aux yeux verts ?

12

L'étranger, las des cérémonies, les oreilles fatiguées par le bourdonnement incessant du tam-tam, sa culture mélodique trop longtemps agressée par des syncopes rythmiques inhabituelles, se lève, prend son Springfield à répétition et va explorer son nouveau territoire. Il sort de Lubituku, le village de Mankunku et la petite forêt en empruntant la piste qui le mènera au fleuve. Il se sent bien ; l'air sous la ramée est frais, et la lumière tamisée par les frondaisons semble vibrer avec les feuilles agitées par le vent ; de lieu en lieu, brisant ce frémissement insaisissable, apparaissent dans les trous du feuillage des faisceaux de lumière épais comme le pinceau d'un projecteur. D'innombrables oiseaux multicolores volettent çà et là en gazouillant, des insectes crissent, des branches craquent. Il est écrasé par l'étrangeté de ce monde nouveau, il ralentit ses pas tout en observant d'un œil méfiant les grands pétales bigarrés des indolentes fleurs tropicales.

Il aperçoit enfin le grand fleuve, lent, majestueux, sa peau de grand ophidien endormi scintillant d'écailles composées de mille petits soleils. D'énormes crocodiles repus se prélassent sur les bancs de sable, fermant de temps en temps leur gueule béante d'un claquement sec afin d'y piéger les dizaines d'insectes imprudents qui se sont aventurés sur leur langue. Des troupeaux d'hippopotames s'amusent dans l'eau boueuse, se pourchassent avec leurs pattes pataudes, se caressent avec la douceur que peut leur permettre leur puissant mufle, projettent des geysers d'eau par leurs narines. Une horde de potamochères se désaltère plus loin, après s'être gavée dans une plantation de manioc. Des légions d'oiseaux aquatiques nagent, se baignent, s'envolent pour revenir frôler la surface de l'eau avant de s'élever de nouveau dans les airs. L'âme de l'étranger n'est pas retenue par la féerie de la scène qui se déroule devant lui : il saisit son fusil à répétition, charge. Il vise et appuie sur la détente : le bruit, amplifié par les chambres sonores que constituent les zones de la forêt, est si fort qu'il sursaute lui-même, surpris. C'est pour ces animaux le signal d'un cataclysme. Les oiseaux s'envolent en troupes débandées, les crocodiles se précipitent dans l'eau, les hippopotames apeurés se jettent aussi dans le fleuve. Mais l'étranger s'est ressaisi. Il tire sur tout ce qu'il voit bouger, les oiseaux qui s'envolent, les sauriens attardés ; un grand koudou passe devant lui, il le touche à la patte ; l'antilope roule par terre, essaie de se lever en s'appuyant sur sa patte cassée mais, sous la douleur, elle retombe dans son sang qui gicle, poussant des bêlements pitoyables ; l'homme n'a pas le temps de l'achever, il tire déjà sur un jabiru qui, touché, s'abat dans l'eau. Enfin il s'arrête. Il est content, tout lui appartient, il peut faire ce qu'il veut.

Il s'éloigne lentement, nonchalamment, comme un maître visite son domaine ; il quitte le friselis des feuilles de la forêt retombée à nouveau dans son étrange et bruyant silence. Il va vers la plantation de bananiers, traverse les jardins aux fortes senteurs de pipérales, monte le petit coteau qui lui cache la savane… et son cœur manque de s'arrêter : des éléphants ! Non pas *un* éléphant mais un troupeau d'éléphants, une horde d'éléphants survolée par des pique-bœufs élégants dans leur

plumage blanc. Il se frotte les yeux, est-ce un mirage ?
Il regarde encore, ils sont toujours là. "Ils sont à moi !"
Eh oui, ils sont à lui, sans conteste, à portée de son fusil.
Un sentiment de puissance le saisit. Il arme son fusil, son
beau Springfield à répétition. Il vise un beau mâle portant
d'immenses défenses : la bête s'écroule dans un barrissement de douleur. Les autres, surpris, ne comprennent
pas, ne saisissent pas d'où vient le danger. Maintenant
l'homme est déchaîné, il charge, tire, il charge, tire ; il
touche une femelle qui s'abat, son éléphanteau tourne
autour de son corps, essaie de la relever, il est abattu à son
tour et s'effondre dans le sang de sa mère. Les animaux
ne comprennent toujours rien, ils tournent en rond,
cherchent le vent, cherchent où est l'ennemi tradition-
nel qu'ils peuvent charger, ils ne le trouvent pas. Le chasseur ne vise même plus, il lui suffit de tirer dans le tas,
ses balles atteindront fatalement un animal. Il charge, il
tire, il charge, il tire. À force de tourner en rond, les bêtes
se lassent de chercher un ennemi invisible, se mettent à
fuir du côté opposé au fleuve dans un barrissement infernal, et enfin disparaissent en soulevant une épaisse poussière. L'homme tire encore et toujours, charge, tire, et
ne s'arrête que lorsque, la poussière retombée, il s'aperçoit qu'il n'y a plus d'animaux et qu'il tire dans le vide. Il
descend alors vers ses victimes ; toutes ne sont d'ailleurs
pas mortes, elles saignent, grognent, souffrent, râlent. Il
continue à avancer vers la montagne d'éléphants abat-
tus, pataugeant dans le sang, la boue et la bouse. Un
sentiment de jouissance lui parcourt la colonne vertébrale. Il y a là trente ou quarante éléphants. Il grimpe
sur les corps, caresse au passage les beaux ivoires, arrive

au sommet du tas et, se rappelant un de ses héros favoris, se dresse, prend une pose de conquérant prêt à se faire ériger un monument pour l'Histoire : "Du haut de ces corps d'éléphants centenaires, l'Afrique mystérieuse et millénaire me contemple et…"

Brusquement il se reprend, se sentant un peu ridicule, car les villageois, attirés par les coups de feu, sont autour de lui. Quarante ou cinquante éléphants, entassés là les uns sur les autres ! Ils ont peine à y croire, eux qui réussissaient à peine à tuer un éléphant tous les mois, ce qui était d'ailleurs suffisant pour leur nourriture. L'homme au visage rouge, aux cheveux raides, aux bras blancs et qui fait peur aux enfants, a vraiment une puissance plus grande encore qu'ils ne croyaient. Mais que faire de toutes ces tonnes de viande ? Pour la première fois, ils sont confrontés à un problème de surproduction.

L'étranger, sûr de lui-même et dominateur, affecte de ne pas voir les indigènes béats d'admiration devant sa puissance à nouveau démontrée. Il saisit nonchalamment son fusil, un beau Springfield à seize coups, et remonte vers le village.

13

Alors ce fut le déferlement sur le pays : ceux qui venaient comme pacificateurs accompagnés d'escortes fortement armées, ceux qui apportaient la civilisation et s'installaient comme administrateurs, ceux qui venaient pour exploiter le pays afin de s'enrichir, ceux qui débarquaient avec une croix pour sauver les âmes de ces peuplades encore plongées dans la barbarie ; des hommes de science qui venaient étudier la terre, les animaux, les plantes et les indigènes, des aventuriers hardis rêvant de Tombouctous merveilleuses, des géographes en quête de Monomotapas inconnus, des orpailleurs fiévreux à la recherche des talents d'or d'un nouvel Ophir… Ils s'éparpillèrent sur le pays comme une nuée de sauterelles, dévorèrent les feuilles, bousculèrent les arbres et les montagnes, massacrèrent les hommes et les éléphants, traversèrent les cours d'eau, prirent possession des terres, des corps et des âmes. Ils défièrent les moustiques, les tsé-tsé, les amibes et les serpents ; ils s'attaquèrent aux buffles, aux phacochères et aux hylochères ; ils résistèrent aux soleils, aux pluies, aux vents et allèrent jusqu'à marcher sur les tombes des ancêtres…

Rien n'arrêtait cette marche triomphale aux accents de jours de gloire arrivés ou de Dieu sauve le roi. Un monde plus fort, plus habile et plus cynique prenait possession d'un monde moins fort, moins habile et plus naïf. Ce n'était point un choc comme on en entend quand deux nuages se heurtent de front en pleine tornade, fendillant la coquille du ciel en de foudroyants éclairs, c'était tantôt une simple promenade, celle du chasseur ouvrant sa voie à coups de fusil et de mépris, écrasant sous ses bottes les brindilles du chemin, tantôt une valse légère et virevoltante permettant d'esquiver et de contourner les obstacles du chemin, valse effectuée à pas de corruption, de persuasion, de bluff, et d'autres artifices encore. Ce que vivaient ces nouveaux conquistadores était vraiment extraordinaire ! Était extraordinaire non pas ce monde bouillonnant de vies de toutes sortes, ce monde luxuriant de plantes, de fruits et de fleurs inconnus, d'espèces animales originales telles que la girafe au long cou et l'amphisbène à deux têtes qui peut se déplacer dans un sens ou dans l'autre, non pas ce monde où une simple tornade devenait un spectacle merveilleux dans lequel se déchaînaient toutes les formes cosmiques, mais extraordinaire était l'incroyable facilité avec laquelle ils agrandissaient leurs nouveaux empires ; ils ne les achetaient pas, ils ne les occupaient même pas vraiment, c'était beaucoup plus simple : ils déclaraient purement et simplement que ces terres leur appartenaient et elles étaient à eux, avec tout ce qu'il y avait dessus ou dessous.

Ceux qui conquirent le pays de Mankunku s'appelaient Belges ou Français, mais qu'importe ? Ils auraient bien pu s'appeler Portugais, Anglais, Allemands, Turcs ou Maoris que cela n'eût rien changé à leurs actions car tous les peuples qui se lancent à la conquête d'autres peuples se ressemblent. Ils occupèrent le bassin du grand fleuve Nzadi et ne furent arrêtés à l'ouest que par l'Océan ; au nord ils ne s'arrêtèrent point ; à l'est ils se heurtèrent aux Arabes musulmans, premiers esclavagistes négriers de cette partie du continent et qui continuaient à dépeupler des régions entières par leurs razzias aussi fréquentes que cruelles. Ces Arabes qui, avec leurs archaïques espingoles, avaient terrorisé des populations, brisé des familles, pillé, enlevé des jeunes filles pour leurs harems, eux qui, pour s'enrichir, avaient fait cheminer de l'intérieur vers la côte orientale des dizaines de milliers de femmes, d'hommes et d'enfants enchaînés les uns aux autres par de lourdes chaînes à entraver un buffle, eux qui avaient fait cheminer de l'intérieur vers la côte, dans des conditions effroyables, des colonnes et des colonnes d'hommes le cou pris dans l'enfourchure d'une solide branche d'arbre d'à peine un mètre de longueur entre deux esclaves et maintenue fermement à la gorge par un rivet de fer, ces Arabes ne purent eux non plus résister à ces nouveaux venus qui arrivaient pour les déposséder de leurs sources de richesse ; ils trouvèrent eux aussi leurs maîtres, furent taillés en pièces et soumis comme les autres. Et les envahisseurs étrangers, après avoir débordé le bassin du grand fleuve, continuèrent leur route vers les grands lacs.

Ils écrivaient :

"Nous avons une mission sacrée, celle de porter la civilisation à ces peuplades primitives et nous ne faiblirons jamais. Nous allons également donner à notre pays un vaste empire sur lequel le soleil ne se couchera jamais, un empire qui rendra jaloux le reste du monde ; nous affirmerons ainsi notre puissance."

D'autres ajoutaient :

"Il y a des terres à prendre, des serviteurs à volonté. Les droits de l'homme ne sont pas faits pour les Nègres. D'ailleurs les indigènes n'ont droit à rien, ce qu'on leur donne est une véritable gratification."

D'autres encore :

"Je ne te parlerai pas des coutumes licencieuses de ces gens, la plume d'un religieux se refuse à mettre de telles choses sur un papier. L'Évangile dit que nous sommes tous frères, cela est certainement vrai, mais l'Africain est notre petit frère."

Mais, il faut le dire, certains écrivaient aussi :

"... Nous n'avons rien vu qui justifie l'hypothèse de l'infériorité native du Nègre, rien qui prouve qu'il soit d'une autre espèce que les plus civilisées. L'Africain est un homme doué de tous les attributs qui caractérisent la race humaine..."

Ils continuèrent à marcher, à passer des montagnes, à traverser des forêts et des fleuves et ne s'arrêtèrent que lorsqu'ils butèrent sur d'autres étrangers venus des mêmes pays et qui rivalisaient avec eux. Alors, n'ayant plus d'autres territoires à acquérir, ils se tournèrent vers ce qu'ils appelaient la mise en valeur de ces pays conquis.

III

Et dans la savane sans âme
Désertée par le souffle des anciens
Les trompes hurlent, hululent sans merci
Sur les tam-tams maudits
Nuit noire ! Nuit noire !

BIRAGO DIOP

14

Le pays de Mankunku fut divisé en de grandes concessions qui parfois divisaient un village en deux ou en trois. Les nouveaux propriétaires ne semblaient avoir qu'un objectif, le caoutchouc. La vie, le village n'existaient plus, la semaine avait changé et contenait maintenant sept jours dont le dernier était réservé au Seigneur. Mankunku, comme les autres, avait dû abandonner toutes ses activités pour la chose qui seule comptait maintenant, le caoutchouc. Tous les quinze jours, les collecteurs envoyés par l'administration venaient prendre livraison du poids requis par tête d'habitant en offrant comme paiement une brassée de cotonnades au chef Bizenga qui la refilait à ses épouses. Caoutchouc ! Question de vie ou de mort ! Lorsque des villages refusaient d'obéir ou ne fournissaient pas les quantités requises, les étrangers envoyaient une escouade de miliciens recrutés localement, les *mbulu-mbulu*. Ils arrivaient avec leurs brodequins bruyants, tiraient des coups de feu en l'air et mettaient les villageois apeurés au travail. Mais, lorsque ces miliciens, comme il arrivait parfois, n'étaient pas capables d'exercer leur autorité parce qu'ils étaient trop près de leur région d'appartenance, les étrangers dépêchaient des soldats recrutés dans d'autres territoires et qu'on appelait des tirailleurs sénégalais, quoique tous ne vinssent point du Sénégal. La colère de ces "Sénégalais" était redoutable. Si l'on ne s'exécutait pas sur-le-champ, ils n'hésitaient pas à fouetter à sang les récalcitrants, à violer les femmes, à brûler leurs maisons ; si ces derniers s'échappaient, ils les poursuivaient, les acculaient dans des impasses et les faisaient sauter à la grenade. Au nord du pays on les appelait les *tourougous* car, curieusement, on les prenait pour des Turcs. En tout cas, pour le pays de Mankunku, qui n'avait jamais vu d'Arabes musulmans, ils avaient des mœurs bizarres. Ils se promenaient avec un bidon d'eau en bandoulière qu'ils utilisaient tantôt pour faire leur thé, tantôt pour laver leurs organes sexuels avant de manger ou de prier. Et leur façon de prier était drôle : ils ôtaient leurs brodequins, se plaçaient face au soleil levant, étalaient par terre une natte ou une couverture, y plaquaient leur front, ce qui leur faisait placer les fesses plus haut que la tête, puis, exécutant une série de mouvements de va-et-vient à vous donner le mal de mer comme un chameau au trot, ils criaient Allah, Allah, Allah akbar plusieurs fois et ce plusieurs fois par jour. Après leur prière où ils demandaient la miséricorde de Dieu, ils croquaient une noix de kola, remettaient leurs brodequins, reprenaient leurs fusils pour continuer leur mission sanguinaire.

Les *mbulu-mbulu* locaux quant à eux usèrent tant de munitions que leurs chefs leur demandèrent de justifier l'utilisation de chaque cartouche. La réponse fut simple, ils coupèrent la main droite de tous les individus indociles qu'ils abattaient. Cependant, toutes les cartouches n'étaient pas utilisées pour la répression : parfois ils s'en servaient pour du gibier, parfois elles étaient tout simplement perdues par des coups de feu déclenchés par maladresse. Dans ces cas-là, pour éviter la fureur des maîtres étrangers, ils ramenaient quand même des mains justificatives, soit en coupant des mains d'hommes vivants, soit en profitant de la mort naturelle de quelqu'un pour lui arracher une main. Et le rituel était toujours le même, le commissaire étranger comptait le nombre de cartouches, comptait le nombre de mains (mains souvent fumées pour éviter la décomposition pendant le transport) et, si les deux correspondaient, déclarait tout simplement :

"*Malamu* (très bien). Jetez les mains dans le fleuve."

Chaque matin, Mankunku et ses concitoyens se levaient un peu plus tôt, avant même le premier chant du coq ; ils marchaient des heures dans la forêt, portant coupe-coupe et récipients, avant de découvrir les plantes recherchées. Ils saignaient ces maudites plantes qui déversaient un sang de latex blanc qu'ils recueillaient dans leurs bassines. Il leur fallait douze à treize jours de travail pour récolter la quantité requise. Quand ces plantes se firent rares, Mankunku sauva le village des exactions en découvrant des lianes dont la sève ressemblait à de la gutta-percha, mais cet ersatz ne dura qu'un temps ; la récolte de la sève de caoutchouc diminua irréversiblement et, parallèlement, la répression augmenta. Caoutchouc, caoutchouc, caoutchouc ! L'écho de ce mot résonne encore dans les plus profondes forêts du pays de Mankunku ! Ni les larmes ni le sang qu'il a fait couler n'ont encore vraiment séché.

On n'avait plus le temps de cultiver le manioc, les arachides ou les ignames car les femmes récoltaient le caoutchouc, on n'avait plus le temps de défricher de nouvelles plantations car les hommes récoltaient le caoutchouc. Pour la première fois le pays de Mankunku connut la famine ! Les tisserands avaient cessé de tisser, les forgerons de forger, les chanteurs de chanter, tout le monde cherchait du caoutchouc. Même leur rapport avec la forêt avait changé : elle leur était devenue hostile car elle ne comprenait pas cette soif de destruction qui les avait soudainement saisis, aussi leur tendait-elle souvent des pièges fatals : des mambas verts surgis brusquement des feuilles d'arbres où ils se cachaient pour foudroyer de leur venin mortel un de leurs compagnons, des épines aux blessures empoisonnées, des ronces traîtresses qui leur arrachaient la peau ou qui les déséquilibraient pour les précipiter dans un fossé inaperçu. Par contre, elle cachait de plus en plus ses fruits comestibles et ses gibiers. De leur côté, ils la haïssaient en même temps qu'ils en avaient peur. La confiance entre la forêt et ces hommes qui avaient toujours vécu en symbiose matérielle et spirituelle était rompue, ils s'excluaient mutuellement, les uns étaient devenus parasites de l'autre et vice versa. Ah ! caoutchouc, rouge du sang de tout un peuple !

Quand il n'y eut plus assez de sève de caoutchouc naturel, l'effort fut axé sur la récolte de palmistes, ces amandes de noix de palme à l'huile délicate. Mais les choses devinrent vraiment difficiles lorsqu'il n'y eut plus ni assez de caoutchouc ni assez de palmistes. Comme la logique des étrangers était de toujours tirer quelque chose du pays occupé, ils trouvèrent un succédané, l'impôt en espèces. Ils instituèrent donc un impôt de trois francs.

Allez parler des "trois francs" dans le pays de Mandala Mankunku ! Les tirailleurs sénégalais furent lâchés sur le pays, les miliciens locaux recrutés au nord du pays furent lâchés sur le sud, ceux recrutés au sud furent lâchés sur le nord. Ils avaient tous les droits. Les hommes fuyaient à leur approche pour se réfugier dans les forêts hostiles. Malheur à l'homme qui mourait sans avoir payé auparavant son impôt de trois francs ! Ils étalaient le cadavre nu devant la famille et demandaient à l'un de ses proches parents de lui administrer vingt-cinq coups de fouet en public. Parfois, l'étranger accompagnait les miliciens et, une fois, dans le village voisin, pour montrer son autorité et peut-être aussi pour s'amuser, il alignait cinq rebelles en une colonne et d'une seule cartouche les transperçait tous !

Dans cette vie de travaux forcés, seul le septième jour était le bienvenu. Pas toute la journée cependant car, le matin, il fallait assister à tout prix à la grande cérémonie célébrée par le missionnaire étranger : vêtu de sa chasuble, bien retranché derrière son autel de fortune où dominait une immense croix, il allait et venait, balbutiait un baragouin bizarre, s'agenouillait, sonnait des clochettes, aspergeait les gens d'eau… Qu'il était long, ce cérémonial ! Mais cela valait la peine d'attendre car, après, venait vraiment le repos du septième jour, ce jour où l'on oubliait le caoutchouc, les palmistes et les trois francs.

Ah ! ces danses du dimanche ! On choisissait les meilleurs batteurs ; ils accordaient d'abord leurs instruments en chauffant sur un feu de paille la peau du tam-tam afin de lui donner la tension idéale, puis se plaçaient légèrement à l'intérieur du cercle des danseurs et en avant ! L'orchestre pouvait à son gré comprendre ou non des balafons, des *sansi*, ou des *massikoulou* ; il y avait parfois un chœur qui l'accompagnait, parfois non : mais il y avait toujours des tam-tams, source de vibrations, de rythme, source de vie. Il en existait de toutes sortes : de très grands, qui vous arrivaient aux épaules, qu'on jouait debout, et qui donnaient un son grave, presque monotone, maintenant ainsi la vibration fondamentale ; de plus petits, qu'on jouait agenouillé, qui étaient des instruments non seulement rythmiques mais avec lesquels un bon batteur pouvait tirer des modulations mélodiques. Entre ces deux extrêmes, toute la gamme intermédiaire de tam-tams. Et les fesses gigotaient, les torses ondulaient comme privés de colonne vertébrale, les mains claquaient, des pièces de cauris tombaient aux pieds des meilleurs danseurs. Brusquement ils formaient deux rangées, d'un côté les femmes, de l'autre les hommes ; celles-ci continuaient à trépigner, à faire trémousser leur agile derrière et frétiller leurs seins en un continuel mouvement de haut en bas et de va-et-vient latéral. Puis c'était l'assaut, lent, contrôlé. Les femmes d'un côté, les hommes de l'autre, et hop, imitaient le geste de l'accouplement en se heurtant les sexes, homme contre femme, puis reculaient, trépignaient, sautillaient, avançaient et hop… ! Arrêtez ces attitudes obscènes, ô mon Dieu, doux Seigneur Jésus, pardonne-leur, ils ne savent pas ce qu'ils font.

Ce dimanche-là, le missionnaire arriva par hasard au moment où ils exécutaient ces danses qu'il n'avait jamais vues et il entra dans une colère furieuse, devint plus rouge que l'étranger qui, jadis, mit le premier le pied dans le village de Lubituku. Les tam-tams se turent, tout le monde le regardait, intrigué. Il fulminait, étouffait, hurlait, ici interprète et vite, vous êtes obscènes, c'est de la licence, de la fornication devant Dieu, que le Seigneur pardonne à mes yeux d'avoir vu ces scènes diaboliques, cessez immédiatement ces danses… Elles furent supprimées les dimanches, jour du Seigneur. C'est ainsi que les gens de Lubituku apprirent que ces danses, qui remontaient au temps de leurs ancêtres, étaient une offense au Dieu tout-puissant et que le geste qu'ils faisaient pour avoir des enfants, ce geste qui traduisait le mieux la communion avec le monde et la continuité de la vie, était une manifestation d'obscénité.

Ce soir-là, Mankunku s'était assis à côté de son père sous l'arbre où avait coutume de prendre place le vieux Lukeni qu'il avait tant aimé et qui l'avait tant aimé. Les tam-tams s'étaient tus et les danseurs s'étaient dispersés dans la tristesse et la colère retenues. La nuit était tombée. Au loin, on voyait la maison du chef Bizenga, la seule à être éclairée par une lampe à pétrole. Mankunku pensa au vieux Lukeni : "Tu avais raison ; ton rêve disait qu'ils marcheraient sur les tombeaux des ancêtres et que ceux-ci ne réagiraient pas. Eh bien, c'est exactement ce qui se passe. Comme j'aimerais être à tes côtés, vieux Lukeni !" Son regard se porta encore malgré lui du côté de la maison de son oncle Bizenga ; cet homme et sa petite famille étaient les seuls à avoir profité de l'arrivée des étrangers. Il se tourna vers son père adossé contre l'arbre ; il avait beaucoup vieilli, les travaux l'avaient épuisé. Cet homme, l'aîné des forgerons, était devenu un vulgaire individu aux vêtements rapiécés, courant la forêt pour ramasser des amandes de palme ou de la sève de caoutchouc. Une boule monta à sa gorge.

"Père, comment cela a-t-il pu arriver ?"

Son père bougea à peine ; ses yeux éclairés faiblement par les lumières de la nuit étaient comme tournés à l'intérieur de lui-même. Il murmura :

"Mon fils, c'est toujours trop tard quand on comprend. Prends une forêt touffue, coupes-en un arbre, personne ne s'apercevra de rien ; continue à en couper et, au bout d'un moment, on aura le sentiment diffus que cette forêt n'est plus tout à fait ce qu'elle était sans vraiment savoir pourquoi ; continue encore et un beau jour, brusquement, on réalise : tiens, cette forêt a vraiment changé ! C'est alors trop tard."

Oui, admit Mankunku, ce fut ainsi que lentement, insidieusement, l'ordre des choses changea dans leur vie pour se transformer en un nouvel ordre flou, instable et, surtout pour lui, irrationnel. Mais la réponse de son père ne le satisfit point. Il lui reposa la question autrement :

"Pourquoi cela est-il arrivé ?

— Pourquoi poser une telle question quand l'évidence est là : ouvre tes yeux, mon fils. Avant l'arrivée de ces étrangers, nous vivions dans un monde juste, c'était l'entente dans nos villages, la forêt nous donnait beaucoup à manger et la terre était fertile. Ils ont amené avec eux le malheur. Je les maudis", conclut-il en crachant par terre.

Mankunku s'était braqué, comme piqué par une guêpe.

"Père, je sais que ce n'est pas à un fils d'apprendre à son père à reconnaître un fleuve, mais je crois que ce que tu dis là n'est pas exact. Nous n'étions pas si justes que ça ! As-tu oublié ces querelles de sorcellerie entre clans ? Rappelle-toi, ils ont failli m'éliminer et, qui sait, peut-être m'enterrer vivant sous un arbre *nsanda* pour la seule raison que j'avais les yeux verts. Notre société était aussi une société de violence.

— Ce n'est pas toi, Mandala, qu'ils voulaient éliminer ; tu étais différent, ils pensaient que tu étais un sorcier, un esprit malfaisant et c'est cela qu'ils voulaient arracher.

— Je n'ai entendu que tout cela dans ma vie, « tu es différent » ! Penses-tu qu'une société qui n'a pas assez de souplesse pour garder ceux qui sont différents soit une bonne société, une société juste ?

— On t'a bien gardé, mon fils.

— C'est grâce au vieux Lukeni que je suis là.

— Il y aura toujours un vieux Lukeni dans notre société pour sauver et préserver ce qui doit l'être à un moment donné."

Mankunku ne sut que répondre à cette déclaration qui était plus un acte de foi qu'un argument. Il ne voulait pas non plus heurter son père de front, aussi changea-t-il l'angle de la conversation :

"Les étrangers ont peut-être leur part dans nos malheurs actuels, c'est même certain, mais il faut aussi regarder la vérité en face, père. Sans notre collaboration, les choses ne seraient pas aussi dures, tout ne se serait pas passé aussi facilement. Regarde avec quelle facilité nous nous sommes laissé acheter : une brassée de cotonnades alors que nos tisserands sont les meilleurs de la région, de la pacotille de verre, de médiocres bijoux grossièrement taillés alors que ceux qui sortent de ton atelier sont mille fois plus beaux. Pourquoi ce goût pour ce qui vient d'ailleurs ? N'avons-nous ni honneur ni amour-propre ?

— C'est la faute à ton oncle Bizenga, il est devenu étranger à son peuple.

— C'est vous qui l'avez mis là où il est. On n'a que les chefs qu'on mérite ! Il faudra tout faire pour que les générations futures ne pensent pas que tout cela est arrivé par la seule faute des étrangers. Il ne faut jamais, père, oublier nos propres cupidités et nos propres faiblesses.

— Je ne te comprends pas, Mankunku.

— Tu ne veux pas me comprendre. Tu as peur de reconnaître que notre société était arrivée à une impasse. Le vieux Lukeni l'avait senti. Mais qui sait, à quelque chose malheur est bon, puisse le choc provoqué par ces étrangers nous aider à nous en sortir !"

Son père le regardait, perplexe ; il comprit vraiment pourquoi on disait que son fils était si différent. Il déplaça vite son regard avant qu'une mauvaise pensée n'effleure son esprit et n'atteigne ainsi son fils. La Lune avait déjà bien monté dans le ciel sans pour autant amoindrir la clarté de la Voie lactée. À l'horizon, juste au sommet des arbres, on apercevait l'Étoile du matin, visible en cette saison ; cela voulait dire que le chant du coq ne tarderait pas, il était temps d'aller se coucher, demain il fallait travailler. À son tour il regarda son père perdu dans son monde intérieur. Il mit son bras autour des épaules tassées :

"Père, il faut aller se coucher."

Ils se levèrent. Il regarda encore une fois le vieux visage ; les yeux du père se fixèrent alors sur ceux du fils.

"Bonne nuit, mon enfant. Nous sommes tous responsables, y compris toi.

— Je le sais. Bonsoir et bonne nuit à maman."

Ce fut la fin du septième jour de la semaine.

15

Pour payer l'impôt des trois francs il fallait gagner de l'argent car il n'était plus question de continuer à chercher du caoutchouc, devenu rare et dont l'exploitation coûtait de plus en plus cher à l'administration. Des jeunes de villages entiers se firent enrôler pour construire des routes et, en contrepartie de leur travail gratuit, ils étaient dispensés d'acquitter l'impôt. À cette époque également commencèrent les travaux du chemin de fer qui devait relier le grand fleuve Nzadi à l'Océan. Il semblait que la paie était bonne et, pour permettre à ses parents fatigués de se reposer, Mankunku se fit embaucher dans l'espoir de gagner assez pour payer leur part.

Les premières semaines de travail, on les mit à concasser de gros blocs de pierre provenant des rochers que les ingénieurs étrangers avaient préalablement fait sauter à la dynamite. Une fois le bloc repéré, Mankunku soulevait le lourd marteau et l'abattait sur l'énorme masse de pierre ; le marteau rebondissait sous le choc qui lui secouait l'avant-bras, lui courait le long du corps jusqu'à la plante des pieds. Après plusieurs coups, il arrivait à casser le roc et les morceaux ainsi arrachés étaient empilés dans un panier qu'il transportait sur le dos ou sur la tête jusqu'au chantier proprement dit et là, ces petits blocs étaient concassés par la concasseuse pneumatique jusqu'à ce qu'ils ne forment plus qu'un tas de petits cailloux plus ou moins uniformes. Ils étaient une centaine à faire ce travail et la place grouillait comme une termitière. Le soir, ils rentraient chez eux fourbus, la tête bourdonnante de coups de marteau. La première semaine, les paumes de Mankunku étaient couvertes d'ampoules qui palpitaient de douleur ; sa mère lui recouvrit les cloques avec un onguent d'huile de palme tout en se lamentant :

"Mankunku, je t'ai toujours dit de prendre une femme ; à ton âge, tu aurais déjà eu cinq enfants au moins. Donne-moi le bonheur de voir mes petits-enfants avant de mourir.

— Mais maman, protestait-il, cesse de raconter des bêtises, tu ne vas pas mourir. Je penserai au mariage plus tard, je n'ai pas le temps pour le moment, il y a tant de choses à faire.

— Ah, maudite vie, qu'avons-nous fait à nos aïeux pour qu'ils nous abandonnent ainsi ?

— Nos aïeux sont morts, mère, c'est à nous les vivants de nous débrouiller. Demande plutôt à ton frère ce qu'il nous a fait.

— Tais-toi, Mandala, ils t'écoutent, ne blasphème pas et ne parle pas de Bizenga de cette façon ; c'est ton oncle maternel et ton maître.

— Tu défends toujours ton frère, n'est-ce pas ?

— N'en parlons plus. Tu ne peux pas continuer à concasser des cailloux comme cela, ta main n'est plus que plaies.

— Cela n'est rien, si tu savais que Lounda s'est écrasé deux doigts avec son marteau, tu ne me plaindrais pas. Non, ce que nous craignons le plus dans ces chantiers, ce sont les éboulements quand on fait sauter un énorme bloc à la dynamite. Il y a déjà eu trois morts depuis le début de la semaine.

— Fais attention, Mandala, je n'ai que toi comme enfant, les ancêtres n'ont pas voulu m'en donner d'autres.

— Ne t'inquiète pas, maman, je m'en sortirai. L'essentiel c'est que vous ne soyez jamais inquiétés pour ces maudits trois francs."

Au début, ils étaient une centaine sur le chantier ; maintenant, à la fin de la deuxième semaine, ils n'étaient plus qu'une vingtaine, la plupart des ouvriers ayant fui ce labeur trop pénible. Le travail n'avançait plus par manque de main-d'œuvre. Les administrateurs lancèrent un ordre de levée d'hommes et cela recommença comme au temps du caoutchouc et des trois francs. Les soldats encerclaient des villages et ramenaient tous les habitants au médecin de la brousse qui désignait les futurs travailleurs selon leur poids et le périmètre de leur cage thoracique. À leur tour, des clans et des villages entiers quittèrent les zones de recrutement pour se réfugier dans des territoires lointains ou bien traversèrent le fleuve pour échapper à l'administration locale. Le recrutement se transforma en une véritable chasse à l'homme, et les gibiers ainsi piégés étaient ramenés comme du bétail, corde au cou, aux lieux de rassemblement. Certaines populations résistèrent à coups de couteau et de machette, mais les *mbulu-mbulu* eurent tôt fait de vaincre leur résistance.

Après avoir passé près d'un mois à concasser les pierres, Mankunku et ses compagnons se trouvaient maintenant placés sur le chantier principal. Ils étaient alignés sur des kilomètres sous un soleil aussi chaud que l'enfer chrétien que leur avait décrit le missionnaire, déplaçant, déposant de lourdes traverses de métal brûlant sur des surfaces de graviers et de cailloux qu'ils avaient préparées auparavant. La sueur leur coulait du front, leur brûlait la pupille. Le chantier était si loin du village que Mankunku ne rentrait plus chez lui le soir, il couchait à la belle étoile dans les camps de fortune installés par la société du chemin de fer. Les maîtres, eux, avaient des maisons démontables qu'on transportait et remontait à chaque déplacement. Mankunku dormait entre deux compagnons qui venaient de très loin et ne parlaient pas la même langue que lui. Après un certain temps d'incompréhension totale, ils parvinrent pourtant à s'exprimer dans un pidgin pittoresque où les mots et les onomatopées avaient autant d'importance que les gestes. Djibril et Djermakoye étaient leurs noms. Mankunku ne comprenait pas comment ils pouvaient venir de si loin, aussi les interrogeait-il souvent sur leur pays :

"Moi Djibril, je suis de l'ethnie sara, je viens du Tchad ; nous sommes très nombreux sur le chantier.

— Moi Djermakoye je suis banda, je viens de l'Oubangui.

— Combien de jours de marche vous faut-il pour arriver ici ? demandait Mankunku.

— Ah ! les dix doigts des mains et les dix doigts des pieds ne suffiraient pas pour les compter.

— Ce n'est pas possible ! Je savais que la terre était grande mais pas à ce point. Votre pays doit toucher celui des étrangers car je sais qu'ils viennent de plus loin encore.

— Ne me parle pas de ce voyage, dit Djibril ; après nous avoir capturés – car nous avions peur de voir la mer – on nous a fait marcher dix à quinze jours jusqu'à Bangui.

— Pourquoi aviez-vous peur de voir la mer ?

— Chez nous, on dit que ceux qui voient la mer attrapent une maladie mortelle soit du corps soit de l'esprit.

— Je n'ai pas encore vu la mer, dit Mankunku, je n'ai pas encore quitté le bord du fleuve où je suis né ; mais mon père a vu l'océan et il se porte à merveille.

— Je ne peux pas te répondre, c'est ce qu'on dit chez nous.

— Une fois à Bangui, reprit Djermakoye, nous étions entassés dans d'étroites barges sans toit, sous le soleil et la pluie ; parfois, pendant des heures, il était impossible de bouger un pied. Beaucoup mouraient par asphyxie, tandis que d'autres, fatigués parfois de se cramponner au-dessus de la mêlée où ils pouvaient respirer, lâchaient prise, glissaient et tombaient dans le fleuve. C'est ainsi que mon père a disparu au cours de ce long voyage.

« — Pourquoi n'essayiez-vous pas de repêcher ceux qui se noyaient ?

— Il n'était pas possible d'arrêter la barge pour repêcher tous ceux qui tombaient ; on ne serait jamais arrivés à destination. De toute façon, à peine faisaient-ils plouf dans l'eau qu'une queue de caïman les assommait et l'instant d'après ils étaient pris entre deux mâchoires.

— Mon Dieu", soupirait Mankunku, ne trouvant plus que dire.

Leurs conversations se terminaient souvent brutalement car les sentinelles passaient et leur demandaient impérativement de se taire. Ils s'allongeaient alors à la belle étoile et se réveillaient, le lendemain, le corps frigorifié par la fraîcheur et l'humidité de ces nuits tropicales. Ils ne dormaient sous un toit que pendant la saison de pluies, sous un large hangar construit à la hâte pour les protéger. Puis Djibril et Djermakoye reprenaient leur travail de portage, transportant chacun des sacs de ciment de cinquante kilos. D'autres s'épuisaient sous des charges trop lourdes, des châssis de wagonnets, des rails, des barils de ciment, des panneaux de maisons démontables sur un terrain excessivement difficile : il fallait monter et descendre des petites collines, éviter des arbres, contourner un petit ravin ; les jours de pluie, c'était un véritable exercice d'équilibre sur le sol visqueux, tapissé d'une épaisse couche de feuilles mortes en décomposition. Ce portage fut aussi meurtrier que le reste ; des hommes se brisaient le cou sous les paniers de pierres, d'autres glissaient des collines avec leur wagonnet pour se retrouver écrasés au fond d'un ravin. Un jour, une vingtaine d'ouvriers harassés refusèrent de reprendre le travail malgré les menaces de l'ingénieur en chef. Le contremaître tira cinq hommes au hasard parmi lesquels Djermakoye, il leur attacha un collier de dynamite autour du cou et les fit sauter. Les autres reprirent immédiatement le travail.

Les hommes couraient à droite et à gauche, on concassait des cailloux, on poussait des wagonnets, on soulevait des rails... tout cela sous l'œil attentif du contremaître blanc. Et Mankunku était fasciné par cet homme, par ces hommes : d'où tiraient-ils leur puissance ? De leurs ancêtres ? Voyez cet homme seul, sans arme, le visage rougi par la chaleur, à l'abri de son casque blanc. Il suffit de deux d'entre nous, d'un seul, moi par exemple, pour le mettre hors de combat, le tuer ; pourtant personne n'ose, quelque chose nous arrête. Il est là, seul, donnant des ordres, dictant sa volonté à dix, cent, mille, des milliers d'entre nous. Et à moi aussi, moi Mandala Mankunku, dont l'ancêtre renversait les puissants ! D'ailleurs, rien ne semblait résister à sa volonté. Qu'un rocher le gênât, on le faisait disparaître dans le bruit que feraient dix fois cent fusils ; qu'une montagne le gênât, on la coupait en deux et on y creusait un tunnel pour pouvoir passer dessous ; qu'une rivière le gênât, on jetait un pont par-dessus et on continuait son chemin. Où allait-on ainsi, poursuivant un horizon qui fuyait sans cesse ? Mankunku bandait ses muscles, saisissait la traverse brûlante, la déposait, repartait vers son compagnon en chercher une autre. Oui, qu'est-ce qui pouvait les arrêter ? Bien sûr, les ancêtres se vengeaient quelquefois : certains matins, les ouvriers trouvaient des rails encore munis de leurs traverses qui pendaient en l'air au-dessus du vide à la suite d'un éboulement ayant entraîné avec lui des milliers de mètres cubes de terre ; eh bien, cela ne décourageait pas l'étranger, il recommençait, il faisait travailler deux fois plus durement, consolidait le bord des remblais, et on repartait. La mort de dizaines d'ouvriers lui était indifférente : voyageur, si un jour tu prends le chemin de fer qui mène du grand fleuve à l'Océan, écoute attentivement le claquement des roues sur les rails car chacun d'eux, chaque tac-tac, dénombre un mort ; alors pense un peu à tous ces hommes ensevelis dans ces montagnes où tu passes et rappelle-toi qu'ici il y a un mort pour chaque traverse. Cela aidera peut-être leur âme à dormir en paix.

Ce soir-là, en rentrant au camp, Mankunku trouva Djibril allongé sur son grabat. Il avait beaucoup maigri ; ses yeux s'enfonçaient dans ses orbites trop grandes, sa peau tirait sur son visage, moulant étroitement les os de son front et de ses mâchoires. Il se tenait le ventre en gémissant ; sa ration de poisson salé sec traînait à côté de son lit. Mankunku lui mit la main sur le front :

"Qu'est-ce que tu as, Djibril ?

— Je te l'avais dit, c'est la mer. Je vais mourir parce que j'ai vu la mer.

— Mais nous ne sommes pas encore arrivés au bord de l'Océan.

— C'est son esprit qui me ronge l'intérieur. Mes selles sont pleines de sang, mon ventre me mord et ma poitrine me serre."

Il était près du délire. Sa maladie avait commencé le jour de la mort de Djermakoye, mort qui l'avait beaucoup affecté ; depuis il ne mangeait plus, il n'arrivait plus à avaler le mauvais poisson salé qu'on faisait venir d'Angola. Pauvre homme, venir à plus de deux mille

118

kilomètres de chez lui, travailler sur un chemin de fer dont il ne comprenait pas l'utilité, puis mourir seul, abandonné, sans parents ni amis ; car Mankunku en était persuadé, il allait mourir comme des milliers d'autres, broyé par ce monstre de chemin de fer. Beaucoup de Tchadiens et d'Oubanguiens, ces populations de l'intérieur peu habituées à manger le sel, succombaient à de graves troubles intestinaux à force d'absorber le poisson salé sec qui constituait l'essentiel de leur alimentation. Lorsque le poisson était vraiment pourri et qu'ils refusaient de manger, cela était quand même compté dans les livres du contremaître comme une ration distribuée et, le lendemain, ils reprenaient leur dur labeur. Affamés, amoindris, beaucoup de travailleurs mouraient également de la tuberculose.

Mankunku se décida à aller trouver le responsable du service de santé pour porter secours à son camarade. Il arriva devant la case préfabriquée à l'intérieur de laquelle les maîtres étrangers mangeaient et s'arrêta timidement. Une sentinelle, un Sénégalais portant chéchia rouge et vêtu comme un zouave, s'approcha de lui en gueulant :

"Fous le camp toi, qu'est-ce que tu fais ici ?

— Mon ami est en train de mourir. Je voudrais demander au docteur de venir le voir.

— Le docteur n'a pas le temps, il mange. Allez, fous le camp", fit-il en levant la crosse de son fusil, de façon menaçante.

Une colère sourde saisit Mankunku ; il serra le poing, tourna le dos et s'éloigna dans la nuit. Le serviteur zélé continuait sa ronde autour de la demeure de ses maîtres, son fusil à l'épaule.

Arrivé près de Djibril, il vit celui-ci se tordre et tousser du sang. Mankunku ne comprenait plus rien, il ne voyait pas comment une dysenterie pouvait provoquer des vomissements de sang. D'autres travailleurs entouraient le lit et parlaient de façon apeurée et en même temps menaçante : "Enlevez-le, emmenez-le hors d'ici…", "Il ne faut pas qu'il meure ici, cela portera malheur à tout le camp…" Deux hommes costauds empoignèrent Djibril de force, le sortirent du camp, le portèrent et le jetèrent à l'orée de la forêt. Mankunku, qui les avait suivis avec une couverture, le recouvrit et s'assit à côté de lui. Ils restèrent tous deux ainsi sous la clarté des étoiles et la pénombre de la forêt, Mankunku tenant sa main afin de transmettre, dans cette nuit humide et triste, son amitié chaude à cet homme d'un autre pays situé à l'autre bout de la terre. Ils ne parlèrent pas, au milieu de ce frémissement de feuilles d'arbres, de ces froufrous d'ailes d'oiseaux nocturnes. Soudain Djibril s'agrippa à lui, toussota légèrement, très légèrement, et relâcha son étreinte. Il était mort.

Mankunku resta longtemps auprès du corps de son camarade de labeur, son ami, regardant dans le ciel les constellations apparaître et disparaître, pensant à ces milliers de morts qui reposaient dispersés sur le territoire de son pays. Ils étaient tous morts de fatigue et du chagrin d'être venus de si loin. Ce n'étaient pas seulement ceux qui venaient de loin qui mouraient, les autochtones aussi. La seule paix que le chemin de fer avait laissée derrière lui était la paix des cimetières. Ah ! l'horreur du temps de la machine !

Mankunku enterra son ami tôt le matin pour éviter que les hyènes ne volent le corps et partit au chantier complètement abattu. Lui qui, dans sa vie, avait toujours défié les grands, essayait intensément de comprendre. Ces hommes étaient forts, puissants, d'une puissance quasi infinie, pensait-il ; il se demandait – ô hérésie – s'ils n'étaient pas plus puissants que ses ancêtres. Et, en pensant aux événements de la nuit précédente, il se rendit compte de sa propre déchéance : face à la maladie de son ami Djibril, son premier réflexe n'avait point été d'utiliser ses connaissances, lui qui était *nganga*, mais de faire appel au médecin étranger. Qu'est-ce qu'ils pouvaient bien avoir et que faire pour percer leur secret ?

Il observa minutieusement les faits et gestes de ces étranges étrangers ; il essaya de voir s'ils mangeaient comme lui, s'ils avaient des dents, si leur sang était rouge, s'ils pétaient, rotaient, pissaient, si leurs excréments étaient bien des excréments, s'ils avaient un pénis et s'ils baisaient comme lui. Il fit un examen méthodique mais discret et arriva à la conclusion qu'ils n'avaient rien que lui Mankunku n'eût point. Alors, d'où venait leur puissance ? Mankunku suait sous le soleil, peinait, serrait les grosses vis qui maintenaient les traverses sur le ballast ; ses mains calleuses avaient durci et ne s'irritaient point comme au début ; il saisissait les rails d'acier brûlant, les retournait, les scrutait : lui qui était forgeron, l'acier l'intriguait. À force de tant penser, de tant réfléchir, il était devenu taciturne et renfermé sur lui-même ; il travaillait sans s'en apercevoir avec une sorte de zèle, ce qui agaçait ses camarades qui l'accusaient de vouloir chercher la faveur des maîtres étrangers. Il ne s'en formalisait pas, il continuait à chercher ce qu'il avait pu laisser échapper pendant ces nuits où, seul avec le grand fleuve, il traquait la connaissance et interrogeait le ciel, pendant ces journées passées à cueillir et à comprendre les plantes. Ces étrangers avaient résolu le problème du fusil à plusieurs coups, le problème des signes dans lesquels on pouvait cacher la pensée, problèmes qu'il avait été incapable de résoudre. Avait-il donc, lui, Mandala Mankunku, complètement fait fausse route ?

16

Trois miliciens, les fameux *mbulu-mbulu*, arrivent fatigués à Lubituku, le village de Mandala Mankunku. Fusil en bandoulière, la chéchia rouge à pompon noir fièrement inclinée sur la tête, ils s'efforcent de garder un air souverain et hautain. Ils viennent d'effectuer une tournée dans les villages environnants, soit pour surveiller la récolte des palmistes, soit pour collecter l'impôt des trois francs. Ils portent pour tout bagage un petit panier au dos car ils savent qu'ils peuvent manger, dormir, avoir une femme dans n'importe quel village pour peu qu'ils le veuillent. Ils se dirigent vers la maison du chef Bizenga ; celui-ci sort, les reçoit obséquieusement, les fait entrer, ils s'asseyent : vous venez de loin ? Pas trop fatigués ? Que voulez-vous boire, de l'eau, du vin de palme ou de l'alcool de maïs ? Vous êtes ici chez vous, restez manger avant de partir, eh Nzoumba ma femme, tue-nous trois poulets et prépare-les bien pour nos invités... Ils s'asseyent sur la natte et mangent.

Bizenga prend soin de leur offrir à chacun un gésier, la partie la plus fine et la plus délicieuse du poulet. Ils se régalent, trempent leurs doigts dans la sauce à l'huile pimentée, arrachent à belles dents la chair des cuisses, écrasent les os pour sucer le semblant de moelle, boivent, rotent, pètent pour libérer leurs estomac et intestin de déplaisantes flatulences.

Ils ont mangé, ils ôtent leur chéchia, leurs brodequins, déboutonnent pantalon et chemise et s'étendent sur les nattes pour faire la sieste. Bizenga ordonne aux enfants qui jouent de cesser de faire du bruit, aux femmes qui parlent de se taire afin de ne pas déranger ses hôtes…

La sieste est finie, il va être l'heure de partir. L'un des miliciens, prêt avant les autres, sort pour déambuler dans le village. Les autres s'habillent encore, rangent leurs affaires. Le chef Bizenga aperçoit les paniers que portent les miliciens, ils sont pleins de mains droites séchées. Une lueur d'horreur passe devant ses yeux, il a envie de vomir.

"Mais que faites-vous de ces mains ?" demande-t-il timidement.

Les miliciens sourient.

"Si nous n'abattons pas ceux qui refusent de livrer du caoutchouc ou de payer l'impôt, nous sommes très sévèrement punis et parfois même les officiers blancs de l'État vont jusqu'à nous fusiller. Alors plutôt que de mourir nous-mêmes, nous tuons les récalcitrants et la preuve de notre travail, c'est les mains. Quelquefois, ajoute-t-il en un sourire coquin, nous leur coupons le zizi.

— Mais… mais… que font-ils de ces mains ?

— Oh, ça dépend du chef. Certains les comptent puis les font jeter dans le fleuve ; d'autres par contre les font fumer et les utilisent comme bourre-pipes qu'ils emmènent dans leur pays… Mais vous, ne vous inquiétez pas, vous êtes un très bon chef, il n'arrivera rien dans votre village, nous vous le garantissons."

Le milicien qui est sorti se promène dans un village presque désert. Tous les jeunes sont partis faire leur journée de travaux forcés ; il n'y a plus que quelques vieilles et vieux fatigués qui passent leur temps à vieillir encore sous le grand arbre du village ou à l'ombre des vérandas de leurs maisons. Au détour d'une case, il aperçoit une femme, la mère de Mankunku.

"Approche, femme."

Elle avance, tremblante. Pas très jeune, mais ça peut aller, pense le milicien ; ses yeux rouges de fumeur de chanvre s'allument. Il veut arracher le pagne de la femme, la mère de Mandala crie et le repousse ; il s'accroche, essaie de la renverser. À ce moment-là, les hommes accourent. Le mari de la femme, le père de Mankunku, est furieux, il fait face au milicien et lui crie de laisser sa femme tranquille. Le soldat se fâche :

"Qui es-tu toi ? D'ailleurs pourquoi n'es-tu pas en train de chercher du caoutchouc ?

— Tu ne peux rien me faire, je suis en règle, mon fils travaille et ma femme et moi nous avons payé l'impôt des trois francs. Laisse ma femme tranquille.

— Tu mens, couillon, salopard, macaque, animal de la brousse, garde-à-vous fixe ! Sors-moi tout de suite tes kilos de caoutchouc ou de palmiste ou tu vas voir ce que tu vas voir !

— Nous avons payé les trois francs !"

Le père de Mankunku sort de sa poche les précieux papiers tamponnés dont il ne se sépare jamais. Le milicien les arrache et, bien que ne sachant pas lire, fait semblant de les scruter.

"Ça ne vaut rien, ces papiers !"

Il les déchire et les jette au vent. Le père de Mankunku ne peut alors se retenir, il donne un coup de poing au *mbulu-mbulu* qui s'écroule ; humilié, il se lève, les yeux cruels, brandit son fusil et fait feu ; le père de Mandala s'affaisse, il a été tué net. Sa femme hurle, se jette sur le corps de son mari. Les compagnons de la victime sont paralysés. Le coup de feu a attiré les deux autres miliciens qui arrivent en courant, brandissant leurs armes. Ils tiennent en joue les villageois. Le tueur coupe la main droite du mort et la jette dans le panier que vient de déposer son camarade ; ensuite ils regroupent tout le monde et ordonnent de marcher au pas de course jusqu'au centre du village. La mère de Mankunku est restée seule auprès de son mari étalé sous le soleil et dans la poussière, à côté du panier plein de mains. Les animaux ont senti le drame, ils tournent en rond, bêlent ou caquettent. Les soldats font asseoir les vieux et les vieilles qu'ils ont ramenés, au soleil, et les rouent de coups. Ils gémissent, se tordent, pleurent, hurlent, leurs vieilles jambes sont incapables de leur permettre de s'échapper. Le chef Bizenga sort, regarde la scène, il est horrifié mais n'ose intervenir et rentre dans sa demeure.

Les trois miliciens ont fini leur travail ; ils laissent les corps gémissants et ensanglantés se débattre dans la poussière avec les mouches. Ils brûlent quelques maisons en passant, défoncent quelques portes puis rentrent prendre leurs effets chez Bizenga qui ne pose pas de questions et leur serre la main. L'un d'eux s'aperçoit qu'il a oublié son panier de mains, il retourne près du corps du père de Mankunku à côté duquel pleure sa femme. Il lui semble que quelque chose ne va pas. Il étale les mains par terre et les compte : il y en a dix-huit, il en manque une ; il a compris, il tire brutalement la mère de Mankunku, lui arrache son pagne : la main qu'elle avait pieusement cachée dans son pagne, contre son corps, tombe. Le milicien la prend et la jette dans le panier. La femme est comme folle, elle se précipite sur le milicien, bouscule le panier et tout se renverse ; elle tend le bras pour saisir la main de son mari, le milicien la repousse d'un coup de pied, elle revient à la charge en criant, mord au passage la main du soldat qui, excédé, lui balance un coup de crosse qui lui fracasse le crâne. Il ramasse les dix-neuf mains, prend son panier, rejoint les deux autres et ils quittent le village de Lubituku avec les cadeaux que leur a remis le chef Bizenga. La mère de Mandala, étendue par terre à côté de son mari, meurt lentement au milieu des bêlements des chèvres, des caquetages des poules et des hurlements des chiens.

17

La semaine de travail achevée, Mankunku se mit en marche tard dans l'après-midi pour aller passer le repos du septième jour dans son village, car la semaine avait maintenant sept jours. En chemin, il avait une étrange sensation de solitude triste. Le corps fourbu, le moral abattu par la mort de Djibril et de Djermakoye, il se demandait s'il allait passer sa vie à concasser des cailloux et à poser des rails pour payer des impôts. La vie n'avait plus aucun sens, elle courait, irrationnelle comme des ruisseaux après une tornade ne sachant où ils vont, coulant dans un sens, dans l'autre, puis stagnant avant de se laisser dessécher par le soleil. L'irruption des étrangers avait comme rompu un équilibre ; elle avait amené un désordre tel qu'on ne savait plus quelle était la cause de quoi. Il ne reconnaissait plus le village dans lequel il avait grandi tant les choses avaient changé en l'espace de ces quelques années. Il avançait, nostalgique. Il ne se rendit compte qu'il arrivait que lorsqu'il grimpa la dernière colline dominant son village. Il entendit les hurlements bizarres des chiens et se sentit vraiment mal à l'aise. Il pressa le pas ; le vent lui apporta bientôt des pleurs et des lamentations : la mort avait frappé le village.

Mankunku vit quelques cases éventrées, d'autres brûlées, mais la sienne était encore debout. Il courut chez son père d'où provenaient les cris : sa mère et son père étaient étendus sur une natte ; des femmes assises autour, les cheveux ébouriffés, pleuraient, se traînaient par terre, tandis que les hommes, silencieux et tristes, formaient un cercle un peu plus loin. On n'eut pas besoin de lui expliquer : les miliciens les ont tués, les miliciens les ont tués, répétait-il avec d'autres paroles de larmes qui se mêlaient aux lamentations du village. Il resta immobile près de ses parents jusqu'au matin. Dans la journée, on prépara les corps pour l'enterrement le lendemain matin. Puis une veillée de plusieurs jours commença avec tout le village, même le chef Bizenga s'y était associé. Mankunku, assis un peu à l'écart, regarda un instant les visages empreints de douleur qui pleuraient ses parents à la pâle lueur des flammes tremblotantes du foyer, puis il scruta longuement la face énigmatique de son oncle maternel, le chef Bizenga. Il se leva tout d'un coup et disparut dans la nuit.

Mankunku renouait avec cette terre, ce milieu qu'il connaissait si bien naguère avant l'arrivée des étrangers conquérants. Pieds nus, il sentait sous ses pas la terre encore chaude du soleil de la journée ; une force irrésistible le poussait vers le lieu de sa naissance, avec là-haut la Lune qui le suivait comme s'il la traînait derrière lui dans les poussières de la Voie lactée. Il arriva enfin à l'endroit des Palmes, cet endroit qui vit sa naissance, naissance d'ailleurs contestée par beaucoup ; il se demanda si le lien qui le retenait à ce morceau de plantation aujourd'hui envahi par les herbes avait encore une signification, maintenant que ce pays avait été si bouleversé et maintenant que ses parents avaient disparu. Il s'assit au centre des palmes et se remit à pleurer ses parents avec le vent bruissant dans les bananiers et les palmiers, avec le murmure du fleuve compatissant. Et le ciel pleura avec lui des larmes d'étoiles car il tomba tant d'étoiles cette nuit-là qu'elles n'ont pas été toutes remplacées et qu'aujourd'hui encore, si vous regardez attentivement certaines régions de l'espace, vous apercevrez d'énormes trous noirs d'où ne s'échappe aucune lumière ; par contre, si vous apercevez un astre nouveau, une étoile nouvelle que vous ne connaissez pas, allez en pays Kongo, on vous expliquera que c'est le corps de la mère de Mankunku qui, recouvert d'étoiles, monta au ciel pour donner cet astre nouveau qu'ils nomment Kitoko, la beauté.

Mandala resta là toute la nuit ; il pleura tellement que ses larmes éclatèrent en rosée fine qui se déposa sur tout le pays et donna au petit matin un brouillard tel qu'on n'en a jamais revu depuis ; ce brouillard se transforma en pluie et causa le glissement de terrain qui fit s'effondrer le plus grand tunnel de la voie ferrée en construction, ensevelissant des dizaines de travailleurs, leurs chefs de travaux étrangers et leurs casques blancs. Il y passa encore toute une journée et toute une nuit. Il se concentrait, repassant dans sa mémoire toute sa vie : sa naissance contestée, fils unique de sa mère qui ne put plus jamais féconder, la trahison de leur amitié par le fleuve, ses yeux verts, la maladie de son père, les ancêtres, le vieux Lukeni ; ah, le vieux Lukeni, le seul qui l'ait vraiment compris ! Le souvenir du vieil homme lui réchauffa l'âme, allégea sa tristesse ; il sentait que l'esprit de ce dernier était vraiment là, près de lui ; demain, j'irai déposer du vin frais sur sa tombe. Puis il pensa à son oncle maternel, le chef Bizenga : son cœur grossit, enfla de colère. Il revit les *mbulu-mbulu*, le caoutchouc, les trois francs, ses camarades de travail du chemin de fer, Djibril et Djermakoye ; ces images allaient et venaient dans sa tête, causant à chaque fois plus de peine à son âme et à son corps meurtris. Ce n'était pas possible, un peuple entier ne pouvait être condamné à un tel destin. Lui, l'homme qui avait toujours défié les puissants, il prit alors une décision.

Une palme à la main, les yeux étranges, Mankunku se met à courir les pieds nus dans la terre fraîche, écrasant les petites gouttes de rosée qui se plaignent, qui crient, non, non, ne nous écrase pas, nous ne sommes que de l'eau pure, eau sacrée du matin, nous sommes des larmes pleurant avec toi, Mankunku n'écoute pas, il court, il écrase les fourmis qui crient aussi pitié, pitié, ne nous fais pas de mal, nous avons toujours été fidèles à cette terre et nous ne la trahirons jamais, il court Mankunku, jambes ailées, il dérange les oiseaux qui, brusquement réveillés, caquettent et protestent, qui es-tu toi qui nous réveilles, nous déranges, tiens, c'est Mankunku, notre ami, changent-ils de langage en le reconnaissant, il comprend notre langue mais ne nous répond pas, il doit y avoir quelque chose de grave, Mankunku continue, une palme à la main, le regard étrange. Ah Bizenga, maudit Bizenga, laisse-t-il échapper entre ses lèvres serrées de violence. Les oiseaux entendent le cri de malédiction, ils le répètent d'arbre en arbre, de cime en cime, il parvient aux montagnes qui se le renvoient d'écho en écho par-dessus la terre, par-dessus les hommes et par-dessus les arbres, dans l'aube pure du matin ; ces paroles continuent de voyager, à pied, en pirogue, sur les ailes des oiseaux, dans les crissements des criquets, le barrissement des éléphants, le sifflement du boa, les mouvements du vent. Et tout ce qui vit sur cette terre cesse un instant de faire ce qu'il fait, de vivre ce qu'il vit, afin d'accompagner Mankunku dans sa marche : le grand fleuve oublie son lit et se déverse dans la plaine, inondant les champs, renversant les pirogues et les maisons des pêcheurs ; les arbres se balancent frénétiquement sur leur tronc, incapables de s'arracher de leurs racines pour suivre Mandala ; les taupes oublient leur crainte de la lumière du soleil et sortent de leur trou pour assister à l'événement. Ces paroles continuent à être portées par le vent aux oreilles de tous les vivants, des caméléons sournois aux grands palétuviers silencieux des mangroves, des immenses éléphants aux plus petits ruisseaux que nourrit la rosée du matin, des frêles gazelles des savanes aux robustes goyaviers en fleur… jusqu'aux oreilles du vieux hibou hypocrite qui fuit la lumière. Le hibou, être de malheur, oiseau de sorcier, bat des ailes, il court d'abord sur ses petites pattes puis déploie ses ailes et vole, vole, vole vers la maison de Bizenga le prévenir. L'oiseau *popodi* le voit, dresse sa huppe et l'injurie, hideux hibou, oiseau de malheur, sorcier nyctalope, mangeur d'âmes, pourquoi voles-tu si vite vers la maison de Bizenga, les autres oiseaux reprennent ces injures dans les langues de leurs diverses tribus et le perroquet aux ailes rouge congo crie bien fort à Mankunku pour que celui-ci entende bien, fais attention Mankunku, Bizenga est un sorcier et le hibou son messager… Ah Bizenga, maudit chef, c'est toi qui nous as trahis, hurle Mankunku, c'est à cause de toi que sont morts mon père et ma mère, je te tuerai, il court Mankunku, la palme de sa naissance à la main, jambes ailées, plus vite que le lièvre des plaines, les muscles plus puissants que la queue du caïman, plus souple que la trompe de l'éléphant, le cœur gros du sang versé de sa mère comme le grand fleuve en saison de pluies, il court Mankunku, *nganga* Mankunku, celui qui bouscule les puissants et les tambours qui leur rendent hommage. Il débouche brusquement sur la place du village.

L'oncle Bizenga, le chef, a déjà été prévenu par ses messagers de toutes sortes, le hibou, la chauve-souris et le corbeau. Il est dehors, debout, un sourire ironique aux lèvres, de l'autre côté du cercle de villageois réveillés brusquement par la rumeur causée par les pas de Mankunku et sortis précipitamment de leur demeure. Mandala Mankunku arrive, fiche sa palme au centre du cercle et, sans un mot, s'en va et disparaît.

Tout le monde se tient là, fasciné par cette grande feuille verte aux mille doigts, aux longues phalanges se balançant dans le vent. Mankunku s'est transformé en palme verte comme ses yeux verts, Mandala est redevenu palme comme au jour de sa naissance, solitaire comme un palmier noble parmi les arbres. Bizenga a un moment de peur, il recule d'un pas, mâche plus nerveusement sa noix de kola, emplit sa bouche de vin de palme, tchk, tchk, tchk, il crache sur la feuille, meurs feuille, deviens sèche et grise pour que meure l'esprit de ce maudit Mankunku, ce sorcier qui ne vit que la nuit, vous avez vu n'est-ce pas, prend-il la foule à témoin, il est resté seul dans la forêt pendant deux nuits avec ses petits démons à partager les corps de ses parents qu'il a "mangés" avec ses confrères sorciers, vous êtes témoins n'est-ce pas, il n'a pas dormi ici pendant deux nuits, je vous affirme, je vous jure que cet homme aux yeux verts est un sorcier. La foule balance, hésite, ne sait quel parti prendre, de Mankunku le grand *nganga* ou de Bizenga le grand chef ; mais Mankunku n'est pas là alors que le chef est là et il parle bien, il sait persuader, il a la puissance des étrangers avec lui... oui, murmure-t-on ici, là, n'est-il pas bizarre ce Mankunku, avec toutes ces promenades seul la nuit,

Ma Nsona, je t'ai toujours dit qu'il n'était pas né normalement, oh laisse-moi t'interrompre, Kimbanda, avant j'hésitais, mais maintenant je crois que cet homme n'est pas né du tout, il existe sans être né, n'est-ce pas bizarre, laissez-moi arracher la parole de vos bouches mes amies, dès que j'ai eu vu ses yeux verts, j'ai su que c'était une malédiction qui tombait sur notre village, moi Lufua, je dis qu'un homme qui à son âge n'a pas d'enfants n'est pas un homme normal et kéké kéké kéké on caquette, on jacasse, et bê bê bê on bêle, on raconte, on invente. Bizenga sent qu'il va gagner la partie, il redouble d'assurance, fini Mankunku, tu es fini.

Mais tout d'un coup on se tait, tout le monde est muet comme les poissons de la rivière voyant s'approcher l'ombre de la pirogue du pêcheur : Mandala est apparu au centre du cercle, brusquement. Il a été chez lui, il a bu plusieurs de ses breuvages et il tient dans sa main l'arme qu'il a lui-même créée dans l'atelier de son père. Il est debout, Mankunku, le savant, le médecin, le forgeron, Mankunku, dans ses habits sales d'ouvrier de chemin de fer, les pieds nus fermement plantés dans la terre. Bizenga le regarde et veut paraître hautain et dominateur. Il a grossi depuis son pacte avec les étrangers ; c'est lui qui collecte tout ce que le village reçoit en échange du caoutchouc et des palmistes, sans compter les cadeaux particuliers que lui fait l'administration ; il est devenu riche, sa famille ne travaille pas, il a cinq femmes, il n'a plus jamais faim. Il est habillé d'un pantalon de toile blanche retenu en haut sur son gros ventre par une ceinture en peau de crocodile, et en bas par une belle paire de chaussures importées ; sa chemise de flanelle vivement coloriée est recouverte d'une couverture rouge jetée comme une cape sur ses épaules et qui constitue, avec le bonnet en peau de léopard qu'il porte sur la tête, le nouveau symbole de sa royauté.

Les deux hommes se regardent, sourds et muets, devant cette foule muette dont on entend la respiration lourde et oppressée. Les deux hommes se cherchent des yeux et soudain leurs regards jaillissent des orbites, des yeux, se tournent autour, s'évitent, louvoient. Celui de Mankunku voit défiler au fond de celui du chef Bizenga d'abord l'étranger au casque peint en kaolin blanc, puis des chaînes d'hommes se levant et s'abaissant au rythme de la houe sous un soleil torride, et des laptots traînés çà et là sur la face de la terre et de la mer, et sur la fameuse route des caravanes ; il voit défiler au fond de ce regard Bizenga lui-même et des hommes lui ressemblant, coiffés du casque blanc, surveillant des caravanes d'hommes, une chicotte à crins d'hippopotame à la main, vêtus des plus beaux tissus venus de l'outre-mer, buvant les plus forts alcools importés, possédant les plus belles demeures… Et le regard de Bizenga aperçoit au fond de celui de Mankunku une contrée vide, déserte, où les tombeaux des ancêtres semblent avoir disparu pour être remplacés par des cathédrales de blues et de haines concentrés, par le train, ce monstre immense et fumant apporté par les étrangers avec comme mécanicien Mankunku et des hommes lui ressemblant, il voit Mankunku à la tête d'une foule immense poursuivant les étrangers qui, oubliant leur casque blanc, fuient à toute allure pour embarquer dans les bateaux qui les ramènent chez eux, sous les cris et les violences d'un peuple révolté, libéré… Les deux regards ne comprennent pas ce qu'ils voient ; ne comprenant pas, ils cessent de se regarder, continuent de se tourner autour, s'évitent et puis tout d'un coup s'accrochent. Quand deux éléphants se battent, leurs trompes s'enroulent l'une autour de l'autre comme deux lianes qu'on tord ; les deux bêtes se poussent, se repoussent, chacune tire de son côté et, épuisées, elles déroulent leur trompe. Enfin, les deux hommes reprennent leurs regards qu'ils traînent sur la foule pour se reposer, pour récupérer, pour se faire insuffler une nouvelle force par un mot d'appréciation, un regard d'encouragement, un hochement de tête approbateur, bref par un geste, rien qu'un geste de sympathie… Mais voilà, la foule est ainsi faite qu'elle ne sait jamais rien avant le dénouement d'un drame, le peuple ne peut prendre parti pour l'une ou l'autre des deux plus grandes personnalités de sa cité ; s'il y a confrontation, c'est que les ancêtres l'ont voulu, le vainqueur sera celui qui avait raison.

Ils se regardent à nouveau ; le visage de Bizenga se tord de colère comme le jour où il a surpris son élève en train de dévoiler le secret des médicaments à la population.

"Mankunku, tu es un sorcier !"

Brouhaha de la foule ; on s'agite, on murmure, on s'excite. C'est une accusation très grave, on ne peut simplement nier qu'on soit sorcier, "mangeur" d'hommes, il faut prouver qu'on ne l'est pas. Ouais Mankunku, prouve que tu n'es pas sorcier, relève le défi, l'épreuve du *nkasa*. Il fait signe, on l'apporte, ciguë de couleur blanchâtre, véritable poison, plus vénéneux que le plus mortel des champignons. Dans un sourire, Mankunku prend la calebasse, regarde intensément Bizenga qui bat des paupières, ne sachant où détourner son regard, la vide d'un trait. Il a bu le poison, il l'a bu. Il va basculer, oui il bascule, non il a simplement changé de pied, tu ne crois pas qu'il a les yeux légèrement révulsés, non, c'est le soleil qui l'éblouit un peu, t'es sûr qu'ils ne sont pas vitreux, non, attention maman, *nganga* Mankunku va tomber, il titube, non, il se déplace vers la palme, oh, il se tient le ventre, il bascule la tête en avant, il est plié en deux, les aïeux, il va tomber, il va mourir foudroyé… il vomit au pied de la palme ! La foule applaudit, jubile, elle peut choisir son côté maintenant, Mankunku n'est pas un sorcier, il est innocent.

Les jambes de Bizenga semblent mal le supporter car il ne peut plus rester immobile ; il s'appuie tantôt sur un pied, tantôt sur l'autre. On n'accuse pas impunément un innocent. La foule attend que Mankunku demande aussi au chef Bizenga de subir l'épreuve du poison. Mais non, il se redresse, son regard vert profond, plus mystérieux encore que la profondeur des grandes forêts équatoriales. Il regarde Bizenga. Le vieux Lukeni lui racontait qu'un jour il avait vu deux buffles qui, en se battant, s'étaient accrochés par les cornes ; ils étaient restés debout, immobiles pendant une lune entière jusqu'à ce que la soif et la faim les terrassent. Mankunku, lui, a emprisonné Bizenga dans son regard. Bizenga reste cloué sur place, ne pouvant que se dandiner d'une jambe sur l'autre ; la foule retient sa respiration, Mankunku ne dit pas une seule parole.

Ils restèrent ainsi. Le soleil partit à Mpemba, dans sa grande mare de sang étalée à l'occident, la lune apparut parmi ses millions d'enfants, un nouveau soleil apparut, un grand vent souffla sur tout le pays suivi d'une pluie dont personne ne sut jamais la durée car elle avait caché la lune et les étoiles, puis une nouvelle lune apparut. Ils ne bougeaient toujours pas. On attendit, on attendit. Alors le grand fleuve, lassé, regagna son lit en abandonnant des tonnes de limon et de poissons sur son chemin de retour ; les graines de maïs et d'arachide qui avaient arrêté leur croissance afin de ne pas troubler le silence que le drame faisait peser sur le monde en brisant la terre pour sortir reprirent leur germination ; les noix de coco, épuisées d'attendre suspendues à leur tige, tombèrent par centaines…

Mankunku continuait à regarder le chef Bizenga qui, soudain, avait vieilli. Cela avait duré si longtemps que les spectateurs se lassèrent les uns après les autres et reprirent le déroulement normal de leur vie. On raconte que les enfants des femmes qui accouchèrent à cette époque-là avaient déjà commencé à marcher lorsque Mankunku cessa enfin d'emprisonner Bizenga dans son regard ; quant aux arbres centenaires pour qui le temps se déroule à une vitesse moindre que celui des hommes, ils disent que la confrontation entre les deux adversaires a duré une saison de pluies. Il n'y a que l'horrible hibou, mauvais oiseau, qui prétend que cela n'a pris que le temps d'une matinée ; mais allez donc croire cet oiseau de malheur qui ne vit que dans l'ombre, oiseau de sorcier allié à son maître sorcier… Mankunku cesse brusquement de regarder Bizenga. La foule est alors libérée ; les langues se délient, les enfants pleurent, la forêt alentour n'est plus que rumeurs. Bizenga aussi est libéré ; il s'agite, va d'un endroit à l'autre, mais ne peut briser le cercle qui l'entoure. Mankunku tient dans la main le couteau aux formes étranges qu'il a créé, qu'il a inventé dans les forges de son père avant l'arrivée des étrangers. Il marche sur Bizenga qui a perdu tout son calme, toute sa maîtrise.

"Arrête, Mankunku, sinon je te maudirai."

Mankunku continue à marcher sur lui.

"Je te maudis ! J'appelle tous les ancêtres à te maudire ! Enfant ingrat, c'est à moi que tu dois tout, c'est moi qui t'ai formé, c'est moi qui t'ai élevé. Je suis ton maître, ton oncle, tu comprends ? Ton maître ! Je t'ordonne de t'arrêter sinon ma malédiction sera immarcescible.

— Traître ! crie Mankunku. Je ne t'accuse pas, moi, d'être sorcier car ce serait trop facile et tu t'en sortirais. Je dis bien haut que tu es un traître, tu as vendu notre pays, tu as insulté nos ancêtres pour t'enrichir aux dépens du village en nous plongeant dans la misère et le malheur.

— Ce n'est pas vrai, c'est grâce à moi que ce village a été épargné par les *mbulu-mbulu* ; vois un peu les villages voisins, tous les hommes ont été tués ou mutilés, il ne reste plus que quelques vieilles femmes tristes et seules qui meurent de faim. J'ai fait ce que j'ai fait afin de réduire au minimum les souffrances des gens dont j'avais la responsabilité. Et tout le monde ici peut témoigner que grâce à ma politique il n'y a jamais eu de drame dans ce village.

— S'il n'y a jamais eu de drame ici c'est que nous avons toujours travaillé, d'abord pour le caoutchouc, puis pour les palmistes et les routes, enfin pour le chemin de fer et les trois francs. Tu n'as jamais élevé la voix pour nous défendre, tu ne connaissais que tes enfants, tes femmes et ton gros ventre.

— Écoute, mon fils…

— Je ne suis pas ton fils, mes parents sont morts par ta faute.

— Mankunku, je t'en prie, écoute-moi, laisse que des paroles de sagesse pénètrent dans tes oreilles…

— Ce n'est pas auprès d'un traître et d'un lâche que j'apprendrai la sagesse ; par cupidité tu as vendu le village à cause d'un peu de sel, un peu d'alcool, un peu de tissu. Ta parole n'est qu'hypocrisie et mensonge. Tu m'as traité de sorcier, je ne te le pardonnerai pas."

Le visage de Mankunku est dur ; toute son émotion s'y est concentrée, accentuant le froncement sévère de ses sourcils, la dureté de ses mâchoires serrées, la protrusion de ses yeux, la palpitation des ailes de son nez : le visage de Mankunku s'est transformé en masque. Le Masque reprend la marche de Mankunku un instant interrompue par ses paroles. La foule s'est complètement tue de nouveau. Bizenga est effrayé.

"Halte, Toi qui avances vers moi, je suis un roi, un chef puissant, les étrangers et leurs *mbulu-mbulu* sont derrière moi, arrête sinon ils te briseront…"

Le Masque ne s'arrête pas. Bizenga fait signe à son garde qui brandit son fusil, le dirige vers la créature qui avance et tire presque à bout portant. Mais le Masque continue d'avancer, les balles ne peuvent pas le tuer, idiot, elles se transforment en eau, ce n'est pas la sueur que tu vois sur son corps, ce sont les plombs qui ont fondu comme une motte d'argile sous la pluie. D'un coup sec, le Masque arrache le fusil et écrase la crosse sur la tête du tireur qui tombe, le crâne fracassé. Alors Bizenga est fou de peur. Il essaie de conjurer le sort, sort son grigri, talisman qu'il a acheté aux Sénégalais et qui est réputé, pour être venu de l'étranger, plus puissant que ceux fabriqués dans son pays. Il le serre, l'étreint, le frotte sur son corps en murmurant des paroles abraca-dabrantes… Hélas, la force qui avance sur lui n'est pas anéantie, elle continue d'approcher ; il jette furieux le gri-gri, le piétine dans la poussière, invoque les ancêtres, crie des instructions à ses oiseaux messagers, mais le Masque menaçant est toujours là. Bizenga hurle, il pleure, je te maudis, où sont mes maîtres étrangers, mes protecteurs, il parle en phrases saccadées, incompréhensibles, ésoté-riques. Le Masque en a assez et lève son étrange cou-teau ; Bizenga marche à reculons, l'arme saisit un rayon de soleil, le renvoie dans les yeux et l'éblouit ; il ne sait que faire, où aller, où se cacher : le Masque plonge son couteau d'un coup sec et brutal dans le cœur du chef Bizenga ; il retire l'arme avant que le corps ne touche le sol. Le sang gicle du cœur, forme un petit ruisseau qui coule au centre du cercle, évite la palme verte, continue son chemin de l'autre côté du cercle, dans l'herbe. Alors la foule et les animaux réagissent, hurlent, caquettent, implorent, pleurent.

"Qu'as-tu fait ?" crie quelqu'un.

C'est fait. Le Masque s'est dissous ; on revoit le visage de Mankunku qui contemple son arme et le cadavre à ses pieds. Il suit des yeux le ruisseau de sang qui, après avoir traversé la place du village, se dirige vers le fleuve : sang de sorcier ! L'herbe qu'il touche se dessèche, les chiens évitent de le laper, les serpents font demi-tour afin de ne pas ramper sur lui ; il est devenu noir comme le jus amer de la bile, il continue son long chemin sinueux jusqu'au fleuve dans lequel il plonge en bouillonnant, tuant d'innocents petits poissons. Ah, maudit Bizenga !

Mankunku essuie son couteau et se dirige vers sa maison. Il est seul. J'ai tué mon oncle maternel, je suis hors du clan. Que faire, que faire ?

18

Mankunku était donc en rupture de clan. Il réfléchissait sans s'affoler. Il fallait qu'il disparaisse, qu'il aille loin pour commencer une vie nouvelle ; il ne pouvait rester au village, non pas parce qu'il considérait le meurtre de son oncle comme un crime – au contraire il le considérait comme une justice nécessaire – mais parce qu'il craignait les représailles des miliciens qui appliquaient une justice irrationnelle importée par les étrangers. Ils ne tarderaient pas à venir l'arrêter, le torturer avant de le passer devant cette justice qu'il n'acceptait pas. Comment comprendraient-ils tout le mal que Bizenga avait fait au village et aux ancêtres ? Il ne pouvait non plus aller au chantier, ce serait le plus sûr moyen de se faire arrêter. Il ne lui restait plus qu'un endroit où aller, cette grande ville qui était devenue la capitale de l'État bâtie par les étrangers. On disait que c'était une cité immense avec des gens de toutes races, de toutes ethnies et qu'on pouvait y disparaître aussi facilement qu'un grain de riz sur une plage de sable.

Pendant que ses femmes et ses enfants pleuraient le chef Bizenga, Mandala Mankunku alla une dernière fois à l'endroit de sa naissance. Il n'y resta pas longtemps. Il fit ensuite un tour aux tombes fraîches de son père, de sa mère et à celle déjà ancienne du vieux Lukeni. Reposez en paix, mes aïeux, je vous demande de toujours rester près de moi et de me guider. J'ai fait ce qu'il fallait faire, ce qu'aurait fait mon ancêtre Mankunku. Maintenant plus rien ne me retient ici, je suis obligé de vous quitter ; pardonnez-moi et je vous promets de revenir chaque fois qu'il me faudra me ressourcer.

Il revint chez lui, rangea toutes ses herbes, ses découvertes chimiques et autres, ses créations de forgeron, ses plus beaux trophées de chasse dans deux baluchons. Il dormit un peu et, à l'aube, avant même que le premier coq ait annoncé l'arrivée du soleil, il se leva, glissa chaque bout d'un bâton dans les nœuds de ses paquets, mit le bâton en équilibre sur son épaule, sortit et ferma sa maison.

C'est ainsi que Mankunku quitta pour la première fois ce village qui l'avait vu naître. Il n'y eut que les arbres et le vent pour lui souhaiter une bonne route et tous s'en souviennent encore. Voyageur, lorsque tu seras dans une forêt africaine et que tu entendras le vent bruire parmi les herbes et les feuilles, tu ne t'y tromperas point : ce n'est pas seulement leur vie que ces arbres centenaires et ces feuilles d'une saison se racontent, ils se transmettent aussi, de génération en génération, tout comme les hommes, la légende de Mandala Mankunku, cet ami des palmes qui osa renverser un puissant.

IV

*Le jour ne les sauvera pas
Et la nuit nous appartient.*

Amiri Baraka

19

Ville, grande ville ! C'était merveilleux ! Jamais Mandala Mankunku n'aurait pu imaginer qu'un endroit fût aussi différent d'un village, même d'un gros village. Il y avait tant de gens, d'ethnies, de races, de langues différentes ! Il était pris, enlevé, happé dans ce maelström de sons, de mouvements, de couleurs. Ici, même les bruits étaient différents ; alors que ceux de la forêt avaient une cause donc un sens, une raison d'être, il lui semblait que ceux de la ville n'existaient que pour exister, sans but, indépendants du monde qui les entoure. Au premier abord cela le rassura car, ce qu'il voulait, c'était, après le meurtre de son oncle maternel, se perdre dans cette fourmilière sans laisser de traces. Il éprouvait une sorte de joie sourde, se sentait enfin libéré de toutes contraintes et obligations dans ce milieu inconnu où, a priori, il n'existait aucune règle, aucun devoir précis. Il était étonné par son calme et sa confiance : il quittait un monde où tout était plus ou moins réglé d'avance pour se plonger dans un autre où il n'y avait aucun garde-fou et cela ne lui causait pas la moindre appréhension. Au contraire, pensait-il, dans ce climat de liberté, il pourrait élargir le domaine de ses connaissances, apprendre plus facilement ce qui faisait la force des étrangers et enfin, pourquoi pas, s'enrichir.

Il entra dans la ville par les quartiers périphériques où habitaient la plupart de ses compatriotes ; ses yeux n'enregistrèrent pas les vieilles cahutes insalubres, les ruelles sales, les caniveaux engorgés d'eaux stagnantes recouvertes de moustiques et de mouches, les bouges interlopes sollicitant habilement les novices, les sans-travail qui lorgnaient d'une manière louche les étals des marchands de pacotilles de toutes sortes. Par contre ils remarquèrent les bicyclettes, symbole des nouveaux riches, les beaux vêtements que portaient certains, leurs montres, leurs chaussures. Oui, vraiment la ville lui plaisait, elle était pour lui une vraie ouverture sur le monde réel d'aujourd'hui et de demain car, il en était persuadé, c'en était fini du monde de ses ancêtres.

Portant toujours ses paquets, il continua sa marche vers le centre de la ville et, là, quelque chose de nouveau le frappa, le nombre des étrangers. Il n'en avait vu que cinq ou six dans sa vie, entre le premier qui entra dans son village et ses contremaîtres du chemin de fer. Ici, ils étaient partout ; ils portaient des pantalons, des shorts, des chemisettes de toutes couleurs ; très peu le casque colonial, ce qui le surprit, car il ne pouvait dissocier les étrangers de leur casque blanc et de leur costume blanc genre safari. Et puis il vit leurs femmes ; c'est donc ainsi qu'elles étaient ! Il n'osait pas les regarder en face de peur de se faire remarquer et il se cacha pour les contempler :

il admira avec curiosité les cheveux longs de différentes couleurs ondoyant dans le vent comme la barbe de maïs, regarda les seins, descendit le long des hanches, des fesses, des jambes et des pieds chaussés ; aucune ne portait de casque mais nombreuses étaient celles qui portaient des ombrelles, en se promenant nonchalamment le long des grandes avenues bordées de manguiers. Il les trouva belles, mais d'une beauté qui laissait indifférent, comme on dit qu'un arbre est beau, sans que cela éveille un quelconque plaisir sensuel. Sa curiosité satisfaite, il porta son regard sur l'avenue et vit des voitures, de grandes boîtes métalliques sur roues qui avançaient en exhalant une fumée noire… Les étrangers étaient bien là pour rester ; ils régnaient sur tout, ils offraient du travail, de l'argent ; on pouvait gagner beaucoup plus que du temps de la récolte de caoutchouc et même beaucoup plus que ce qu'offrait le travail du chemin de fer. Ils avaient changé le pays, ils l'avaient bouleversé. Les enfants autochtones eux-mêmes avaient adopté la ville ; ils avaient oublié ce qu'était "le grand fleuve", ils allaient à l'école, apprenaient à lire et à emprisonner des choses dans des signes. Arriverait-il jamais à comprendre la force de ces étrangers qui, avec une poignée d'hommes, avaient réussi à soumettre tout un pays ?

Mankunku traîna quelques mois dans la capitale, vivant de ses petites économies, habitant une chambre qu'il payait à la semaine. Il s'habitua tellement à la ville qu'il lui semblait y avoir vécu toute sa vie. Mais un besoin se faisait de plus en plus pressant : celui de l'argent. Il fallait en gagner, on ne pouvait plus vivre sans cette nouvelle valeur imposée par les étrangers.

Un de ses amis lui trouva un emploi de boy chez un fonctionnaire de l'administration coloniale, il ne termina même pas la journée ; certes, le monde avait changé mais tout de même, se laisser traiter comme un gamin par une femme qui traînait paresseusement ses babouches dans la maison, fût-ce une femme de chef blanc, c'était trop pour lui, fils de forgeron, forgeron lui-même et grand chasseur. Il y avait quand même une dignité culturelle qu'aucune civilisation étrangère, si puissante fût-elle, ne pouvait détruire. Il trouva autre chose, travailla une semaine comme terrassier, un jour comme éboueur, deux jours comme déménageur. Il en avait de plus en plus assez de ces travaux sporadiques où il était ballotté d'un endroit à l'autre. Et puis, par hasard, il pensa au chemin de fer qui menait du fleuve à l'Océan. La ligne était terminée, les centaines de morts enterrés et oubliés, les pleurs et larmes emportés par le vent et dispersés pardessus l'Océan. La ligne était terminée, inaugurée par le ministre des Colonies en présence du gouverneur général ; avec des dizaines d'autres étrangers, on avait bu une boisson couleur de vin d'ananas, pétillante comme le vin de palme en fermentation, des Saras et des Bandas avaient été récompensés et rapatriés, et deux gares avaient été baptisées à leur nom, les autres portant les noms des héros du pays des étrangers, on avait coupé avec des ciseaux un ruban tricolore tendu au-dessus des rails, tout cela après plusieurs discours suivis de bravos nourris. La ligne était bien terminée : il ne restait plus de tous ces pleurs et sueurs que le tac-tac des wagons de bois tropicaux, de manganèse et de voyageurs que tiraient de grosses locomotives qui étaient des machines à vapeur se nourrissant d'eau et de charbon, avant d'être des machines Diesel marchant à l'huile lourde de pétrole.

Mandala Mankunku, ancien constructeur de ballast, ancien poseur de traverses et de rails, creuseur de tunnels, pensa avec émotion à ce chemin de fer et décida d'aller tenter sa chance.

20

Devant le grand bâtiment qui contenait les bureaux de la compagnie de chemin de fer, Mandala fut pris de panique. Il ne savait par quelle porte commencer, il ne savait quelle langue parler lorsqu'il se trouverait devant l'étranger qu'il croyait derrière chaque porte : il eut de la chance, c'était un enfant du pays qui s'y trouvait. Beaucoup remplaçaient maintenant les étrangers dans les bureaux car ils savaient manier le secret des signes, parler la nouvelle langue imposée et avaient adopté les vêtements des maîtres. Il était d'autant moins intimidé que le jeune homme qui le reçut fut d'une amabilité encourageante. Ils s'assirent et se firent face.

"Je suis Mandala Mankunku, un ancien du chemin de fer ; j'ai quitté mon village depuis plus d'un an, je n'ai plus d'argent pour vivre ici en ville et je cherche du travail.

— Que faisiez-vous au chemin de fer ? Cheminot ? Contrôleur ?

— Je posais des rails. Je suis de ceux qui ont fait cette longue route de métal.

— Tiens ! fit le jeune homme étonné, et il regarda Mankunku avec tendresse, mon père aussi y a travaillé ; peut-être l'avez-vous connu ?

— Nous étions si nombreux…

— Mon père venait de la côte, c'était un homme de l'océan.

— Je ne crois pas que je l'ai connu, je suis un homme du fleuve, j'ai posé les rails dans le sens fleuve-océan alors que votre père a certainement fait le trajet inverse.

— Il paraît que ça a été très dur.

— Ah ça oui, je n'oublierai jamais ! J'ai vu des villages décimés, des Saras et des Bandas et même des coolies chinois venus de milliers de kilomètres mourir par dizaines ; ne parlons pas du recrutement. Dans la mémoire des gens de ma région, parlez du « temps de la machine » et vous verrez leurs yeux s'écarquiller d'une horreur aussi grande que si l'on évoquait le temps du caoutchouc ou des trois francs.

— Mon père aussi est mort pour la machine. On n'a jamais retrouvé son corps, il a été emporté par un éboulement."

La poitrine de Mankunku se serra. Ah ! ces éboulements ! On avait l'impression que la terre entière glissait dans un bruit infernal ; cela le rapprocha du jeune homme, il lui sembla que ce dernier lui appartenait un peu, que son cœur l'avait adopté comme petit frère.

"Enfin, conclut l'employé, à quelque chose malheur est bon, au moins aujourd'hui nous avons un axe de communication de première importance. Que voulez-vous faire comme travail ?

— N'importe quoi, pourvu que je gagne un peu d'argent puisque c'est ce qui compte maintenant le plus dans ce monde.

— Voyons voir."

Il se leva, ouvrit un tiroir et commença à trier les dossiers. Mandala le regardait, admiratif. C'était certain, ce garçon avait une partie du pouvoir des étrangers, une partie beaucoup plus grande que celle que lui, *nganga* Mankunku, pourrait jamais avoir. Il jugeait désormais ses recherches inutiles, les plus jeunes que lui s'y employaient mieux qu'il ne pouvait le faire ; il n'avait plus qu'un vœu, celui de s'intégrer totalement dans cette vie citadine, faire son travail, gagner de l'argent et oublier tout le reste. L'employé revint s'asseoir. Il ouvrit une chemise et sortit des papiers.

"Voilà, je vais vous faire une faveur spéciale puisque vous êtes un ancien employé des chemins de fer. Nous venons de recevoir une locomotive de type Mikado et on m'a demandé de sélectionner quelqu'un pour être le premier mécanicien indigène, je vais vous proposer.

— Que veut dire « mécanicien » ?

— Vous apprendrez à conduire les locomotives."

Mankunku fut abasourdi.

"Vous… vous voulez dire que je pourrai déplacer cette lourde machine, la faire rouler, traverser des montagnes, des tunnels et des ponts ?"

L'employé rit de l'incrédulité de son interlocuteur.

"Mais oui, vous pouvez le faire et le faire bien. Vous serez le premier, il faudra donc que vous soyez bon, n'est-ce pas ? Ce sera une fierté pour nous et surtout pour moi qui vous ai recommandé. C'est d'accord ?"

Mankunku se voyait déjà dans la locomotive. Il était fier, il se sentait puissant ; un large sourire éclaira son visage.

"Oui bien sûr, c'est d'accord. Je ne saurais vraiment combien vous remercier.

— Oh, ne me remerciez pas encore, ce n'est pas fait. Donnez-moi vos papiers.

— Mes papiers ? Quels papiers ?

— Votre carte d'identité, des attestations de travail si vous en avez.

— Je n'ai pas de papiers.

— On ne vous donnait pas de reçus pour les salaires que vous touchiez ?

— Non, nous n'avons jamais reçu aucun papier.

— Ah, c'est vrai, j'oublie toujours que c'étaient plutôt des travaux forcés qu'un travail normal rémunéré par un salaire. C'était vraiment une autre époque !"

Il réfléchit un instant.

"Je vais vous faire un certificat bien que je n'en aie vraiment pas le droit."

Il prit une feuille de papier, un crayon et se mit à noter des renseignements.

"Votre nom.

— Mandala Mankunku.

— Prénom ?"

Silence.

"Un autre nom avant celui-là, un nom de Dieu.

— Je n'en ai pas.

— Eh bien, il faut en choisir un."

Il tira un calendrier et se mit à lire au hasard : Thierry, Rodrigue, Hégésippe, Zacharie, Zéphyrin…

"C'est des noms ?

— Oui.

— Que signifient-ils ?

— Vous savez, ces noms étrangers ne veulent rien dire.

— Eh bien, s'il m'en faut un pour avoir du travail, donnez-m'en un.

— Attendez. – Il ferma les yeux et laissa tomber son crayon sur un nom : Maximilien – Voilà, vous vous appelez Maximilien Mandala Mankunku. Ça vous va ?

— Très bien.

— Quand êtes-vous né ?"

Mandala eut peur tout d'un coup que l'employé ne doutât de sa naissance, aussi se jeta-t-il dans une longue explication passionnée et embrouillée.

"Je suis né au milieu du deuxième mois de la saison sèche, quinze ou seize saisons de pluies avant l'arrivée du chef Bizenga, vingt-deux ou vingt-trois saisons avant le début du recrutement pour le chemin de fer. Il y a des palmes à l'endroit où je suis né, près du fleuve. Mon village s'appelle Lubituku ; il s'y trouve encore des hommes et des femmes qui peuvent témoigner de ma naissance bien que mon père et ma mère soient morts tous les deux. Je vous jure que, malgré les mauvaises langues qui racontent n'importe quoi sur ma naissance, je suis bien né…"

L'employé était surpris de l'acharnement de Mankunku à prouver qu'il avait bien eu une naissance, comme si un être humain pouvait exister sur cette terre autrement que par l'accouchement d'une mère.

155

"Je vous crois, je suis sûr que vous êtes né d'une mère, il n'y a aucun doute là-dessus. C'est difficile de donner une date cependant. Voyons. Disons que vous êtes né en juillet et que vous avez trente-cinq ans. Non, c'est trop, trente ans."

Il écrivit sur le papier le nom de Maximilien Mandala Mankunku, vingt-cinq ans…

"Allez chez un photographe, faites-vous faire deux photos, revenez demain à la même heure et vous aurez vos papiers.

— Merci beaucoup. Comment vous appelez-vous ?

— Poaty. Ambroise Poaty. Si je ne suis pas dans mon bureau, demandez à n'importe qui, on me connaît, c'est moi qui m'occupe du recrutement du personnel indigène.

— Encore merci et à demain."

Il sortit du bureau et se tint devant un long moment pour s'assurer qu'il ne rêvait pas ; oui, il y avait bien mis les pieds, on l'avait reçu avec amabilité et il allait y revenir encore demain. Il se sourit à lui-même et se mit à la recherche d'un photographe.

Il tomba sur un photographe qui se prélassait paresseusement devant son studio sur lequel était tracé en lettres maladroites "CHEZ DÉKOS, PHOTOGRAPHE DIPLÔMÉ". En fait de studio, c'était une petite case rectangulaire en bois et au toit en tôles ondulées. Sur le mur, pendaient des photos jaunies et racornies par l'intense chaleur et la luminosité du soleil tropical, des photos de toutes sortes dont le point commun résidait dans le fait que toutes les personnes photographiées étaient sur leur trente-et-un. Quelquefois, il y avait des variations : le portrait se trouvait au milieu d'un cercle, une photo de mariage à l'intérieur d'un cœur… Mankunku suivit le photographe à l'intérieur. Celui-ci tendit une brosse et un peigne à son client sans cesser de bonimenter : "Tu as bien fait de venir chez Dékos, même les Blancs viennent chez moi. Tiens, peigne-toi, tu verras, c'est la photo de ta vie. Dis à tous tes copains de venir chez Dékos, diplômé d'Europe…" Il brossa les vêtements de Mankunku, lui donna de la poudre blanche, "C'est pour arrêter la sueur car la sueur est mauvaise pour une belle photo ; mais la poudre aide aussi à bien répartir la lumière sur un visage".

Les préparations faites, ils sortirent. Le photographe tendit un drap blanc contre un mur et plaça Mankunku devant, assis sur un tabouret. Il plaça ensuite son appareil sur un trépied, de telle sorte qu'il tournait le dos au soleil. Une foule se pressa autour de l'appareil et cela rendit le photographe plus baratineur et plus sûr de lui que jamais. "Pour une photo, venez chez maître Dékos, dont la renommée a atteint l'Europe, même les Blancs viennent chez lui…" Véritable maître d'œuvre, il compta le nombre de pas qui séparaient l'appareil de Mankunku, vint toucher quelque chose sur l'objectif tout en parlant. Mankunku, comme la foule, suivait avec admiration et respect. Pensez-vous ! L'homme qui pouvait capter votre image, une image plus que fidèle, dans une boîte noire et vous la remettre ensuite sur un bout de papier ! Il prit une plaque rectangulaire, la mit derrière la chambre obscure.

"Maintenant regarde droit dans cet œil, dit-il en montrant l'objectif. Quand je dirai « prêt ! », ne bouge même pas un cil. Et vous qui regardez ne passez pas entre l'appareil et le monsieur qui est assis là-bas, car le rayon mystérieux qui sort de cet appareil vous frapperait. Je l'ai réglé de telle sorte qu'il ne fera pas de mal au sujet photographié mais gare aux autres."

Les gens s'éloignèrent d'un pas de l'appareil, avec respect. Le photographe souleva alors le grand voile qui traînait derrière l'appareil, se recouvrit et disparut derrière.

"Prêt ?" cria-t-il.

Mankunku se tint le cou roide et arrêta le battement de ses cils. Juste à ce moment-là, un nuage recouvrit le soleil et projeta son ombre sur lui. Le photographe ressortit sa tête et jura contre le ciel.

"Attends que le nuage soit passé."

La foule murmura, déçue. Le photographe fit semblant de s'affairer, il donna un autre coup de brosse à Mankunku, recompta la distance, regarda le ciel. Il savait ce qu'il faisait, les autres ne savaient pas, et il savait que les autres ne savaient pas : c'était là la différence. Enfin le nuage passa. Sa tête disparut à nouveau derrière le voile.

"Attention !"

Mankunku se raidit de nouveau. La main du photographe ôta le cache qui se trouvait sur l'objectif, attendit quelques secondes, puis le replaça. C'était fini. La tête du photographe réapparut. On applaudit. "Revenez ce soir", dit-il à Mankunku. Ce dernier était vraiment impressionné ; créer par cet appareil une image d'une absolue fidélité ne pouvait être possible que parce que cet homme détenait une parcelle de ce fameux pouvoir des étrangers qu'il avait cessé de traquer. La foule se dispersa, il s'en alla.

Mankunku fut dans le bureau de Poaty tôt le matin et le jeune homme fut toujours aussi affable. Il en ressortit avec une carte d'identité professionnelle sur laquelle était affichée une belle photo de lui. Il regarda la photo avec respect car elle était plus vraie que lui : partout où il irait, dans tous les bureaux qu'il visiterait désormais, il aurait beau affirmer que c'était lui Mandala Mankunku qui était là présent, que c'était bien lui qui parlait, personne ne le croirait tant qu'il n'aurait pas montré cette carte avec surtout la photo ; et c'était lui qui devait ressembler à la photo. Il lui semblait que dans ce monde en train d'éclore, c'était l'image qui était porteuse de vérité et non l'objet lui-même.

Il était Maximilien Mandala Mankunku, bientôt il serait mécanicien conducteur de locomotive du fleuve à l'Océan : c'est ainsi qu'il entra de plain-pied dans cette nouvelle civilisation qui se créait sous ses yeux, où l'on parlait une nouvelle langue passe-partout faite de mots des langues de diverses ethnies dont celle des étrangers. Il plia soigneusement ses papiers, les mit dans sa poche et rentra chez lui se reposer. Demain matin, il se présenterait à son nouveau travail qu'il trouvait déjà plus fascinant encore que le métier des forges, pour apprendre comment maîtriser cette immense machine qu'il supposait rouler à une vitesse qu'il imaginait inimaginable.

21

L'apprentissage de Mankunku ne fut pas très long car, avec sa soif innée d'apprendre et de comprendre, il assimilait tout avec une facilité remarquable. Il apprit d'abord à reconnaître les différentes parties de la loco-motive à vapeur, puis à la manœuvrer. C'était pour lui un véritable plaisir physique que d'actionner le tiroir dis-tributeur de vapeur qui mettait en mouvement l'énorme machine ; il contemplait ensuite le nuage de fumée que crachaient les cheminées, il actionnait les avertisseurs, il accélérait et, au bout d'un moment, appuyait sur les commandes des freins, écoutait le grincement des sabots qui coinçaient les roues. Il apprit à graisser convenable-ment les essieux des bogies, à répartir correctement les charges dans le tender... Pourtant, malgré ce décorti-cage, ce démontage pièce à pièce du mécanisme qui faisait mouvoir la machine, il n'arrivait pas à se laisser convaincre totalement que la machine n'était que cela et rien de plus. N'y avait-il pas une autre force plus secrète comme la force qui fait se mouvoir le buffle ?

Au bout de trois mois, il devint le mécanicien attitré du train quotidien de voyageurs du fleuve à l'Océan, de l'Océan au fleuve. La ligne comptait environ six cents kilomètres qu'il parcourait en douze heures en moyenne, si tout se passait bien. En fait, il arrivait presque toujours en retard ; souvent, son train omnibus restait bloqué dans une gare pendant plusieurs heures pour permettre le pas-sage d'un autre venant en sens inverse, la ligne n'ayant qu'une voie unique ; parfois, il restait bloqué par des éboulements provoqués par des orages ou des glissements de remblai. Le voyage était également ralenti par des arrêts fréquents pour charger l'eau et le charbon ; les voyageurs redoutaient ces moments car, à la fin du chargement, le train démarrait dans une énorme enveloppe de fumée qui se rabattait lentement sur eux en les salissant ; ils étouffaient, toussaient, se frottaient les yeux irrités par les escarbilles. Assez rapidement, ces machines à vapeur furent remplacées par des locomotives Diesel. Cela améliora la vitesse du train et rendit le voyage plus agréable.

Pourtant, quelles que fussent les péripéties du trajet, le train de Mankunku entrait toujours en ville en grande fanfare. Un coup de sifflet long, deux brefs, un long annonçaient son arrivée. Et les enfants couraient s'aligner le long de la voie pour regarder le train passer en un éclair, écartant le vent sur les côtés, au milieu des cris de *Mupepe, Mupepe*, le Vent ; car c'est ainsi que les enfants surnommaient Mankunku, le Vent, tellement ils étaient impressionnés par le tourbillon d'air que la longue colonne de wagons laissait derrière elle. Quant aux adultes, ils lui avaient donné le nom de Massini, l'homme de la Machine, ils étaient aussi admiratifs que les enfants qui couraient derrière les wagons, croyant les rattraper.

Mankunku continuait à faire marcher le signal de son arrivée triomphale jusqu'à l'entrée en gare sous les vivats et les bravos des spectateurs. Beaucoup venaient à la gare non pas pour attendre des amis voyageurs mais pour le spectacle, ils venaient pour regarder le train ; c'était un moment important dans leur vie quotidienne, comme l'était l'heure de manger. Ils s'habillaient comme s'ils voyageaient eux-mêmes et portaient dans la main le petit mouchoir blanc de rigueur qu'il fallait agiter en signe de bienvenue ou d'adieu. Qu'il était fier, Massini Mupepe, l'unique, le seul, le premier mécanicien-conducteur de train du pays à avoir maîtrisé la machine de l'étranger ! Un sifflement long, deux brefs, un long, et il lançait sa machine vomissant de la fumée à travers la campagne, traversait les forêts, les ponts des rivières, passait sous des montagnes, accompagné du tac-tac incessant des roues métalliques jusqu'à l'autre bout du pays, vers l'Océan. Qui ne connaissait Massini Mupepe ?

Des milliers de gens arrivaient maintenant de leur village, attirés par la grande métropole dont on louait tant les merveilles. Parmi eux se trouvaient beaucoup de jeunes qui hélas n'avaient pas tous la chance de Massini Mupepe ; ils arrivaient dans cette grande ville complètement dépaysés, traînaient dans les rues à la recherche d'un emploi introuvable et finissaient par se livrer à de petits larcins d'abord, puis à des crimes plus graves. Pour s'en sortir, beaucoup se regroupèrent en amicales ethniques qui devinrent des cellules culturelles, sportives et d'entraide.

Les gens de l'ethnie de Massini formèrent leur amicale et n'eurent point de problème pour trouver un chef : ils se groupèrent autour de lui et l'élirent président. Étant l'homme le plus populaire du pays, il ne tarda pas à faire de son association la première d'entre elles. Bien que n'ayant jamais appris à maîtriser les signes qui résument la pensée et qu'on enseignait dans les écoles nouvellement ouvertes, il avait la puissance concrète de la machine, cet énorme train qu'il savait si parfaitement manipuler ; en plus, l'administration étrangère le choyait, le montrait et le montait en exemple, on disait même qu'on allait l'envoyer là-bas dans la mère patrie pour qu'il apprenne à construire un train tout seul. En tout cas, on lui remit un galon, lui l'employé modèle qui essayait de se tenir droit devant le gouverneur général comme il avait vu les miliciens le faire, au milieu des youyous, des cris de lampions de la foule joyeuse de la fête nationale. Tout le monde se sentait un peu être Massini Mupepe, cet homme qui allait bientôt partir là-bas, apprendre à construire des trains tout seul.

Les choses avaient bien changé dans le pays depuis que Mankunku avait quitté son village pour devenir Massini Mupepe. En effet, après les atrocités des compagnies concessionnaires, plusieurs hommes et organisations protestèrent dans le pays des étrangers ; le gouvernement de la mère patrie créa diverses missions d'enquête qui amenèrent à l'abolition des travaux forcés. Parallèlement, une grande campagne d'élimination des maladies tropicales fut entreprise, notamment contre le paludisme et contre la maladie du sommeil qui avaient atteint le pays par les migrations des travailleurs du chemin de fer. Massini Mupepe avait de la peine à comprendre comment pouvaient venir du même pays que ces colons sanguinaires et barbares du temps du caoutchouc et de la machine ces médecins dévoués qui parcouraient les villages dans des conditions difficiles pour aller vacciner les gens, les opérer, les soigner, parfois au péril de leur vie dans un environnement hostile. Il ne comprenait pas le désir de certains de ces étrangers d'apprendre le secret des signes aux enfants du pays, secret qui, croyait-il, faisait leur force. Il n'était d'ailleurs plus seul maintenant, il y avait d'autres Massini qui savaient manipuler des machines, lire et écrire. Et quoi qu'il en eût, il était obligé de reconnaître que les routes ouvertes avec tant de sang étaient devenues indispensables au pays. Vraiment, pour la première fois, Massini, comme une grande partie de la population, ne voyait plus les étrangers comme des ennemis mais comme des gens avec lesquels on pouvait vivre. Il semblait que la transplantation avait pris racine, que la greffe avait réussi. Tout n'était pas parfait mais tout était bien, on s'acheminait lentement vers un état d'équilibre qui ne demanderait ensuite qu'à être perpétué comme le faisait généralement tout ce qui était dans l'ordre naturel des choses.

22

L'époque heureuse où l'acceptation tacite des étrangers par la population semblait présager la réussite totale du projet de colonisation prit fin assez rapidement, sous l'impulsion des événements qui se passaient loin du pays de Massini.

En effet, après le caoutchouc, les trois francs et le chemin de fer, une nouvelle campagne de recrutement s'abattit sur le pays. On disait que là-bas, de l'autre côté de la mer, le beau pays des étrangers – qui était maintenant leur mère patrie – avait été attaqué par des étrangers encore plus barbares et sauvages que les indigènes d'ici et que, si on ne les arrêtait pas, ils viendraient jusqu'au pays de Massini pour égorger fils et compagnes ; c'était, selon la rumeur propagée par certains, la deuxième fois depuis le début du siècle que ces ennemis héréditaires agissaient ainsi. Le recrutement commença dans l'enthousiasme ; de nombreux chefs de clan ou de village mirent un point d'honneur à envoyer des hommes de leur région, de nombreux chômeurs s'engagèrent volontairement, profitant ainsi, en plus de l'estime et de l'admiration générales, de la solde alléchante qu'on leur offrait.

Massini eut l'honneur de conduire ce premier train des combattants pour la liberté de la mère patrie. On les avait rassemblés de bonne heure sur la place de la Gare – baptisée depuis place du Départ – dans des tenues neuves, des brodequins bien lacés et bien cirés, la traditionnelle chéchia rouge sur la tête, sous l'œil pour une fois débonnaire de gradés sénégalais grands et très noirs. Ils riaient, chantaient, plaisantaient, au milieu des parents et amis qui étaient venus leur dire au revoir ; il suffisait qu'une voix lançât les premières paroles de leur chanson mascotte :

La France est notre mère…

pour que d'autres reprennent la chanson, d'abord d'une voix pleine de tendresse émerveillée :

C'est elle qui nous nourrit
Avec ses pommes de terre
Et ses macaronis…

pour la terminer d'une voix virile et déterminée qui ne laissait aucune chance de victoire à leur prochain ennemi encore inconnu :

Nous allons, nous allons
Nous allons à la guerre
Si la guerre arrive
Nous serons des soldats.

De temps en temps, ils jetaient ostensiblement leur regard sur leur barda ou prenaient leur fusil en faisant semblant de vérifier quelque chose, le portaient à l'épaule, souriaient, le reposaient par terre. Sûrs d'eux-mêmes, ils n'avaient aucun doute sur leur propre importance et l'importance de leur mission. On les enviait un peu, ces hommes qui allaient bientôt découvrir le merveilleux pays des étrangers. Il y avait des gens du village de Massini ; il y avait surtout De Kélondi qui s'était surnommé "D'outremer". Il allait, venait, ôtait sa chéchia, la remettait. Grand tombeur de femmes, De Kélondi pensait déjà aux histoires qu'il ramènerait pour épater ses nouvelles conquêtes.

"De Kélondi, criait quelqu'un dans la foule.

— D'outre-mer", répondait-il, la poitrine bombée aussi naturellement qu'un paon déploie sa queue.

Il avançait alors vers celui qui l'avait appelé, baragouinant quelques mots dans la langue civilisée des étrangers pour montrer que, bien que récolteur de vin de palme par profession, il n'en était pas moins instruit. Il y avait aussi Moutsompa, l'homme qu'on disait le plus fort du monde, il y avait aussi… il y avait tant de monde que

Massini connaissait ! Il était triste de ne pas pouvoir partir mais, d'un autre côté, il en était fier car, ainsi qu'il le répétait partout, s'il n'avait pas été accepté dans le rang des tirailleurs comme on appelait ceux qui partaient, c'était parce qu'il était un homme trop important : il était mécanicien, cadre technique de première nécessité, indispensable à la logistique de l'armée coloniale.

Enfin ce fut l'heure du départ. Le gouverneur du territoire et un général firent chacun un discours traduit phrase par phrase par l'interprète indigène ; ils applaudirent puis ils chantèrent *La Marseillaise* accompagnés de clairons et de tambours et ils montèrent dans les wagons. Ils se remirent à chanter *La Marseillaise* en agitant des drapeaux, la foule toujours applaudissant ; des larmes de fierté – et peut-être de tristesse –, vite effacées, coulaient sur des joues çà et là, lorsque Massini lança un coup de sifflet long, deux brefs, un long, et arracha lentement la lourde locomotive qui petit à petit prit de la vitesse et bientôt disparut, emmenant ces gens heureux qu'on appelait tous "tirailleurs sénégalais". Le train disparut dans la direction de la mer où ils s'embarqueraient pour défendre la civilisation menacée tandis que le vent continuait à porter aux oreilles de tous les êtres qui entendent les paroles de leur chanson fétiche :

Nous allons, nous allons
Nous allons à la guerre
Si la guerre arrive
Nous serons des soldats.

Ce premier départ fut le seul où il y eut de vrais volontaires car l'enthousiasme tomba très vite. Il n'y eut plus d'engagés volontaires. L'administration lança alors une campagne psychologique pour recruter. En ville on demandait aux chefs de quartier de réunir leurs administrés pour leur lire des lettres enthousiastes qu'on disait envoyées par les soldats ; dans les villages cette tâche fut confiée aux chefs de clan. On doubla la prime d'engagement, on promit la citoyenneté – c'est-à-dire les mêmes droits qu'aux étrangers – à tous ceux qui s'engageraient ; toutes ces mesures restèrent inefficaces, il n'y eut plus aucun volontaire. Alors, une fois de plus, on lâcha les miliciens sur le pays. Ils traquaient les populations comme au temps de la machine, ils attachaient les uns aux autres les hommes qu'ils attrapaient et les faisaient cheminer à coups de crosse en une longue colonne pendant des kilomètres jusqu'au lieu de rassemblement ; là, le médecin militaire désignait selon le poids et le tour de la cage thoracique ceux qui devaient aller défendre la liberté du monde menacée. Beaucoup se mutilèrent pour éviter cette conscription, d'autres moururent en voulant jeûner trop longtemps afin de ne pas satisfaire au poids minimum requis. On leva exactement soixante-trois mille trois cent quarante-quatre hommes dans le pays de Massini Mupepe, aux uns on apprit *La Marseillaise*, aux autres *La Brabançonne*, et, parmi ces hommes, le soixante-trois mille trois cent quarantième s'appelait Ambroise Poaty, cet aimable jeune homme qui avait permis à Massini de devenir ce qu'il était aujourd'hui.

Lorsque ce dernier conduisit au port de mer où ils prendraient le bateau le train de la fournée de soldats dans laquelle se trouvait Poaty, tout lui parut lugubre. Pour la première fois il quitta la gare sans lancer ses sifflements longs et brefs. Il démarra lentement, dévisageant douloureusement ces hommes et ces femmes tristes dont le cœur saignait encore à l'endroit où on leur avait arraché un parent, un ami. En tout cas on était loin de l'enthousiasme de ces premiers volontaires, enfants de la patrie, qui étaient allés pour se faire tuer, la tête bourdonnant de rêves de jours de gloire arrivés, un fusil dans la main et une chanson au cœur.

23

Les remous de la guerre n'atteignirent le pays de Massini Mupepe que par ricochet. Il y eut certes quelques mouvements de troupes et des avions-cargos qui y firent escale avant de faire mouvement vers le Tchad, mais il n'y eut pas de batailles ; il était vrai aussi que le chemin de fer transportait de moins en moins de passagers et de plus en plus de matériel militaire de toutes sortes. Sans le grand vide laissé dans le pays par le départ massif des hommes valides recrutés de force jusque dans les plus lointains villages, Massini n'aurait jamais su que le monde était en guerre. Par contre, un sentiment de malaise mal défini planait sur le pays comme l'ombre fugitive d'un oiseau de proie inquiète la bête au sol. Il manquait une certaine joie de vivre ; était-ce parce que le pays était vidé de sa jeunesse ? Était-ce à cause de toutes ces femmes se lamentant, qui pour un mari, qui pour un fils ? En tout cas, Massini ne trouvait plus aucun plaisir à conduire sa locomotive et souvent il quittait ou arrivait en gare comme un voleur, c'est-à-dire sans actionner ses célèbres signaux.

Il s'enferma de plus en plus en lui-même et, lui qui aimait tant la compagnie des autres, il devint même un peu farouche ; il songeait chaque jour un peu plus à regagner son village natal, en abandonnant évidemment le métier qui avait fait de lui l'homme le plus célèbre de son pays. Après quelques hésitations, il donna finalement sa démission à son chef. Celui-ci fut abasourdi par la nouvelle car il ne pouvait pas comprendre que Massini abandonnât un métier aussi prestigieux parmi ses pairs indigènes sous le simple prétexte que "la machine ne me donne plus de joie". Comme si l'on pouvait concevoir qu'un Nègre trouvât du plaisir – ne parlons pas de bonheur – dans son travail ! "Non, refusa catégoriquement le chef, pas question, surtout en ce moment où nous sommes en pleine guerre. D'ailleurs, espèce d'imbécile, si tu quittes ce travail, je t'envoie tout de suite sur le front allemand." Il regarda son chef avec les yeux étonnés d'un villageois qui découvre pour la première fois une locomotive. Un sentiment de haine monta en lui. Quel droit a-t-il de me dire ce que je dois faire ou non ? Après tout je suis chez moi ! Il se remémora le premier Blanc qui était entré dans son village il y avait bien longtemps, il aurait dû le tuer ce jour-là au lieu de quitter la cérémonie comme il l'avait fait, il ne serait pas aujourd'hui si dépendant de ces étrangers pour gagner sa vie. Il réalisa alors pleinement que tout ce que les étrangers avaient fait dans son pays n'avait pas été gratuit : les routes ouvertes servaient à acheminer les palmistes et le bois vers la capitale, le chemin de fer permettait d'évacuer toutes ces richesses vers la mer, ceux qui savaient lire étaient nécessaires au maintien de leur administration et les indigènes en bonne santé indispensables pour faire les travaux durs ou être recrutés dans leur armée. Les gens de son pays étaient peut-être un peu plus riches, mais riches comme l'avait été son oncle Bizenga, c'est-à-dire riches des rebuts de la culture que ces étrangers avaient emmenée avec eux. À partir de ce jour-là, quelque chose se cassa définitivement dans sa perception des étrangers ; quoi, il ne pouvait le dire. Comme il n'avait aucune envie d'aller se faire tuer pour cet étranger, son chef, il choisit le moindre mal et décida de rester à son poste.

Il se remit à penser au grand fleuve, à ses longues randonnées solitaires dans la nuit à la recherche des forces qui se cachent derrière les choses. Avoir abandonné tout cela pour la ville et pour la machine valait-il le coup ?

La vie continua ainsi, à petits pas monotones, jusqu'au jour où la nouvelle arriva, d'abord par la rumeur, puis officiellement : la guerre était finie ! On était en mai 1945. C'était la première fois dans sa vie que Massini retenait une date. Un frisson d'excitation s'empara du pays qui attendit encore plusieurs mois le retour de ses fils partis pour la guerre. Ce jour-là, les femmes balayèrent leur maison, se firent tresser les cheveux, s'achetèrent de nouveaux pagnes pour accueillir les hommes que Massini eut l'honneur d'aller chercher au bateau qui les ramenait. La foule encombrait la gare, des heures avant l'arrivée du train. La joie était revenue ; les jeunes filles, coquettes et coquines, belles sous leur robe de fleurs tropicales, n'essayaient pas de cacher la petite lueur malicieuse qui brillait dans leur regard, trahissant ainsi les scènes de plaisir et de désir qu'elles imaginaient déjà dans leur tête et qu'elles comptaient bien s'offrir ce soir-là avec leur amant retrouvé. La guerre était finie. Une fanfare était là, place du Départ, rebaptisée place des Anciens-Combattants, jouant des airs militaires alternés d'airs de danse. Les miliciens se faisaient aimables ; on voyait même les étrangers familiariser avec les indigènes, leur visage blanc pâle ou rouge, suivant le cas, était fendu de sourires débonnaires, Tout n'était que rires et larmes, larmes de joie.

Un coup long, deux brefs, un long. Ovation de la foule en délire : Massini Mupepe entrait en gare. Son train, décoré de drapeaux, s'arrêta lentement. Il donna un coup de sifflet supplémentaire. Et l'on prit d'assaut les wagons. Les noms qu'on hurlait s'entremêlaient, on sautait au cou du premier soldat sur lequel on pouvait mettre la main, joie, pleurs et larmes de joie, bousculades, cafouillage. Les miliciens reçurent l'ordre d'intervenir pour rétablir l'ordre et, abandonnant comme par magie l'air débonnaire qu'ils affectaient jusque-là, ils retrouvèrent leur cruauté atavique : en un rien de temps, tout le monde fut refoulé à la place du Départ – devenue place des Anciens-Combattants – et l'on se tint debout en bon ordre, attendant sagement les soldats…

Enfin les héros apparurent !

Ils arrivaient, un moignon à la place du bras, une jambe ou une main en moins ! Des éclopés rutilants de médailles plantées à leur poitrine qu'ils tentaient de maintenir bombée en bons soldats qu'ils étaient. La foule poussa un murmure d'incrédulité et de déception. On cherchait un frère du regard et, dès qu'on l'apercevait, on vérifiait qu'il ne lui manquait pas un membre. L'ordre fut de nouveau rompu. On étreignait les amis, les parents ; ceux qui n'étaient pas touchés physiquement avaient les paroles tristes. Hélas, beaucoup ne revinrent pas du tout, ils avaient disparu là-bas, dans ce pays de merveilles. Les pleurs et les larmes de joie se transformèrent en pleurs et larmes de douleur ; on aidait un cul-de-jatte à se déplacer, on prenait le barda d'un manchot, on tenait les béquilles d'un unijambiste. Mabiala, du village de Massini, avait laissé un œil là-bas ; on ne reconnaissait plus le séduisant De Kélondi, il avait reçu un éclat à la jambe gauche et boitillait. Sur les soixante-trois mille trois cent quarante-quatre hommes qui partirent du pays de Massini Mupepe, il y en eut exactement vingt-quatre mille deux cent soixante-dix qui ne revinrent pas et l'un d'eux s'appelait Ambroise Poaty. Massini le chercha en vain dans la cohue, il interrogea tous les soldats qu'il connaissait pour demander des nouvelles de son ami.

Enfin, ceux qui étaient partis sauver la mère patrie et la liberté du monde une chanson à la bouche rentrèrent dans leur foyer, le cœur fatigué. Massini en tant que chef d'amicale invita tous les anciens combattants à une réception le dimanche puis s'en fut lui aussi, la tête lourde, les paupières gonflées. Il dépassa une jeune femme seule, éplorée ; son visage triste contrastait douloureusement avec sa robe éclatante de couleurs. Il fut tellement ému qu'il oublia sa propre douleur et s'approcha d'elle.

"Bonjour, comment t'appelles-tu, femme ?

— Mi… Milete, réussit-elle à articuler entre deux hoquets.

— Était-ce ton mari ?

— Non, c'était mon frère, mon unique frère !"

Il ne sut qu'ajouter à cela. Il ne fit que l'étreindre doucement et lui dit avant de continuer son chemin :

"Courage, moi aussi j'ai perdu un ami très cher, presque un frère."

Mais c'en était trop. Ses paupières gonflées éclatèrent et les larmes chaudes coulèrent pour la mémoire de l'ami parti défendre la liberté du monde. Quelle liberté, se dit Massini. Suis-je libre, moi ? Est-ce la liberté que de subir les sévices de tous ces miliciens tantôt pour le caoutchouc, tantôt pour les trois francs ou la conscription ? Il passa près d'un groupe entourant un sergent-chef qui avait perdu ses deux bras et un œil. Sans le vouloir, malgré sa tête qui bourdonnait, il sentait les paroles du héros vibrer sur ses tympans, atteindre son cerveau et forcer leur chemin dans sa mémoire ; il entendit la voix heurtée de l'homme aigri par son expérience qui partait du cercle de têtes qui l'entouraient, approuvaient et buvaient ses mots : "Ouais, c'est vrai ce que je vous dis, on nous appelait tous tirailleurs sénégalais. Moi, Sénégalais ? Nous étions traînés de camp en camp, on nous bourrait d'alcool et on nous faisait subir le premier choc. Quand l'ennemi nous attrapait, il n'y avait pas de cadeau : on nous faisait danser, danse macaque, secoueur de bananiers, grimace, et ta queue, montre-moi ta sale queue, ta grande queue noire de chimpanzé, hou là là ! qu'elle est grande mein Führer, danse la bamboula, agite ton

174

cul sale babouin, ja ja ja collez-les au mur et tac… tac…
tac… on est arrosés de balles."

24

Curieux cheminement que celui de l'Histoire : c'est la
guerre qui se déroula à des milliers de kilomètres de
là qui, plus que tout ce qu'ils avaient vécu jusqu'ici,
bouleversa la mentalité des gens du pays de Massini.
D'abord, une nouvelle catégorie d'étrangers arriva avec
la fin du conflit : des Libanais, des Grecs et surtout des
Portugais. C'étaient de petits commerçants qui couraient après les sous avec autant d'acharnement que les
autochtones, en contraste avec les premiers colons qui,
eux, menaient une vie de grands maîtres au milieu de
leurs plantations et de leurs esclaves. Ils vivaient souvent en concubinage avec les femmes du pays, faisaient
une ribambelle de gosses qu'ils abandonnaient du jour
au lendemain sans aucun sentiment de responsabilité
paternelle lorsque, leur commerce périclitant, ils déci-
daient de changer de région. Le pays proliféra de petits
métis aux noms de Gomez, Henriquez, Fernandez, qui
ne savaient pas très bien s'ils étaient africains ou portugais. Ces nouveaux venus, rastaquouères sans panache,
aidèrent beaucoup à détruire le mythe de la supériorité
des étrangers. On colportait des images peu reluisantes
sur leur sexualité et leur propreté : ils n'étaient pas cir-
concis, ils ne savaient pas satisfaire une femme au lit, ils

ne mangeaient que des fayots… Comble de stupéfaction, la langue des maîtres, celle que tout homme devait parler pour accéder à la civilisation et pour être considéré comme "évolué", était allégrement massacrée par ces nouveaux colons ; ils la parlaient moins bien même que les indigènes qui avaient été à l'école : ainsi donc, là-bas, de l'autre côté de la mer, dans ce pays d'où venaient les étrangers, il y avait aussi des gens qui ne savaient ni lire, ni écrire, ni bien parler !

Mais ceux qui contribuèrent le plus efficacement à ôter l'aura de mystère donc de supériorité qui régnait autour des maîtres étrangers, ce furent les anciens combattants, ces hommes qui avaient franchi le Rhin historique, ces soldats qui avaient traversé en conquérants les villes européennes. Il fallait les voir se pavaner, médailles à la poitrine, à la réception à laquelle Massini les avait conviés. Ils étaient là, ceux qui étaient revenus intacts, ceux qui avaient perdu un bras, un œil, une jambe. Il y avait De Kélondi, qui répondait inlassablement "D'outre-mer" lorsqu'on criait son nom. Passablement éméché, il se déplaçait à petits pas boitillants, la claudication de sa jambe s'accentuant proportionnellement à son degré d'ivresse. Petit, son beau nez négroïde frémissant comme les naseaux d'un pur-sang, il avait les yeux avinés et rouges. Il s'était abandonné à la boisson depuis son retour. Il portait dans sa main gauche une petite canne qu'il disait avoir prise à un officier allemand tué par lui. "De Kélondi, De Kélondi", criait-on de toutes parts. "D'outre-mer", répondait-il de sa voix éméchée. Ses yeux ricaneurs brillaient de joyeuseté comme s'il se réjouissait à l'avance du tour qu'il allait jouer tout à l'heure.

"Je meurs de soif comme un éléphant qui n'a pas bu pendant toute une saison ! J'ai soif", criait-il.

On rit. Il se tourna vers Massini.

"Président, je suis une locomotive qui n'a pas fait son plein de gasoil."

Massini l'ignora, considérant qu'il avait assez bu.

"Massini, continua-t-il en prenant tout le monde à témoin, si tu ne me donnes pas encore à boire, je vais vous opérer un tour de magie avec ma mallette noire !"

Tout le monde se tut soudain et regarda la mallette noire avec intérêt. Personne n'y avait prêté attention jusque-là. Il y eut un silence de respect et d'appréhension, car ces anciens combattants étaient à la fois admirés et redoutés. Ils étaient revenus avec des pouvoirs acquis là-bas, de l'autre côté de l'Océan, et sans équivalents ici ; ils surpassaient en puissance tous les fétiches locaux, toutes les amulettes des Sénégalais ; ils avaient ramené des talismans qui les protégeaient des sorciers, des maladies, des empoisonnements, des talismans qui leur permettaient de séduire n'importe quelle femme ! Qu'allait démontrer De Kélondi ?

Massini s'empressa de lui passer un demi-litre de vin. Il saisit la bouteille.

"Regardez, j'emploie la méthode du clairon."

Il leva la bouteille au-dessus de sa tête, ouvrit la bouche et un filet de liquide coula dans son gosier, sa pomme d'Adam montant et descendant au rythme de ses déglutitions. Quand il eut étanché sa soif, il posa la bouteille sans qu'une seule goutte fût perdue. Applaudissements. Il tituba un peu plus, claudiqua péniblement vers une table et demanda qu'on lui apportât la mallette.

Il prit un air important, chercha une clé dans sa poche, l'ouvrit. Le couvercle de la valise ne s'ouvrit pas complètement, mais pivota autour d'une charnière et resta ouvert grâce à une barre métallique coincée par un taquet. Il sortit un disque de cire, le plaça sur le plateau au centre de la mallette ; puis il décrocha une manivelle, l'enfila dans un trou et se mit à tourner, facilement d'abord, puis avec de plus en plus de force et s'arrêta lorsqu'il sentit une plus grande résistance. Il sortit ensuite une aiguille d'une boîte, examina ostensiblement la finesse du bout pointu, fit un signe d'approbation, déplia un long tuyau creux légèrement en S terminé par une grosse tête et fixa l'aiguille. Tout le monde continuait à le regarder en silence, ne comprenant rien à ces opérations mystérieuses. Un déclic, le disque se mit à tourner et il y posa délicatement l'aiguille de la grosse tête : d'abord un crachotement, puis une voix, oui, rien de moins, une voix d'homme qui chantait !

Les hommes sursautent, panique parmi les enfants qui se cachent derrière leurs père et mère, instant de frayeur parmi les femmes : De Kélondi a une boîte où se cache un petit diable qui imite la voix des hommes ! De Kélondi est fier de l'effet qu'il a produit ; il arrête le disque et explique : ça s'appelle un phonographe et ça un disque ; personne n'est caché là-dedans, vous pouvez vérifier. Massini regarde, saisit l'appareil, le tâte, le regarde de tous côtés, c'est vrai, il n'y a personne dedans. Eh oui, renchérit De Kélondi, tout est dans le disque. Les enfants rassurés viennent à leur tour toucher l'appareil. De Kélondi les écarte, retourne le disque et c'est une voix de femme qui chante ! Ainsi, ils ont même emprisonné la voix ! se dit Massini béat d'admiration.

On passa et repassa l'unique disque plusieurs fois bien que les chansons fussent dans une langue qu'ils ne comprenaient pas. De Kélondi changea cinq fois d'aiguille ; enfin il arrêta l'appareil sous les bravos de la foule enthousiaste. Il reçut plusieurs invitations – avec promesse de deux litres de vin comme cadeau – pour faire jouer son phonographe chez des gens. Il rangea l'appareil et se concentra sur la boisson. Mais les gens ne le lâchaient point et lui posaient toutes sortes de questions. Ses yeux brillaient comme des braises et son cerveau enregistrait toutes les questions qu'on lui posait de manière simultanée, aussi mélangeait-il toutes les réponses.

… Ça s'appelle des bombes, ça éclate comme le tonnerre, la terre se soulève, le vent fuit à une vitesse de panique… moi homme sans peur, j'ai couché des nuits dans la neige… ah je vois que vous ne savez pas ce qu'est la neige, espèces d'ignorants, indigènes sauvages, la neige c'est pas la glace et la glace c'est pas la neige, la neige c'est blanc et doux comme le kapok qui tombe lentement du ciel quand le vent agite les branches de fromager ; seulement, ce kapok-là, il est froid, très froid, et dès qu'on le touche il fond et s'en va en eau comme de la glace… alors j'ai peur de me battre quand il y a les bombes qui vous tombent du ciel… et tu sais ce qu'on nous faisait à nous tirailleurs sénégalais, pourquoi tu me regardes, j'ai pas dit que j'étais sénégalais, non, tu sais ce qu'on nous faisait, on nous donnait de l'eau-de-vie, ouais mon petit, et c'était bon, alors on n'avait peur de rien, on avançait sans peur et sans reproche… ah ah ah la première fois quand les Allemands ont vu toutes ces faces noires en face d'eux, ils ont crié Gottadammerung et ont fui et ont jeté leurs fusils ah, ah, ah, c'est comme ça que nous avons gagné notre première bataille… la guerre serait belle si on n'avait que des ennemis qui fuyaient et des gens qui gagnaient sans combat…

"De Kélondi, cria Mabiala qui venait d'arriver, borgne et rutilant de médailles.

— D'outre-mer, répliqua l'interpellé.

— Déjà saoul ?

— Moi saoul ? Eh, tu rigoles. Tu te souviens à Marseille avant l'embarquement, j'ai bu une bouteille de pastis et j'ai réussi quand même à satisfaire cinq femmes l'une à la suite de l'autre. Eh Mabiala, tu te souviens, à Paris, non à Berlin, euh oui quand Dresde brûlait, que des bombes éclataient partout, que des centaines d'avions fous lançaient des engins incendiaires sur la ville, sous les feux, la mitraille, les odeurs de chair brûlée, les cris, le sang, tu sais ce que je faisais moi, homme sans peur et sans reproche, moi caporal De Kélondi d'outre-mer, ah, ah, ah, je baisais une blonde Aryenne aux yeux bleus dans une cave à moitié effondrée ! Mieux vaut monter au ciel entre les cuisses d'une femme blonde qu'avec une bombe aux fesses…

— De Kélondi…

— D'outre-mer !"

Mabiala ne l'écoutait même pas ; il s'éloigna avec Massini du groupe des bavards. Il apportait un paquet que Poaty avait demandé de lui remettre en mains propres : il y avait la photo du jeune homme en uniforme, une enveloppe contenant de l'argent et une lettre. Le jeune homme lui demandait d'accepter ces quelques souvenirs de lui, il le considérait comme le seul membre de sa famille, son père et sa mère étant morts. Massini fut très ému. Ce jeune garçon qui venait d'une autre région et d'une autre ethnie l'avait adopté comme parent. Est-ce que, vraiment, ce qu'on appelait l'appartenance ethnique comptait devant les souffrances ? Tous les combattants n'avaient-ils pas souffert de la même façon dans cette neige blanche et fondante dont parlait De Kélondi ? Il rangea soigneusement la photo et se promit de trouver un membre de la famille de Poaty, ne fût-ce qu'un parent éloigné, pour lui remettre l'argent. Il remercia Mabiala et tous les deux revinrent à De Kélondi. Mabiala et Massini s'assirent à côté de lui.

"Allez, De Kélondi, l'interrompit Massini, cesse de nous parler de tes exploits de guerre. Parle-nous plutôt de ta vie de tous les jours là-bas."

De Kélondi sembla se dessaouler d'un coup. Sa voix perdit de sa chaleur d'ivrogne, les mots qu'il prononça se firent sales et tristes comme des larmes de veillée mortuaire. Et, comme si les digues de son subconscient avaient soudainement rompu, il se mit à parler d'une voix brisée de cette partie de leur vie qu'ils avaient tous cachée jusqu'ici.

"Nous n'étions pas des hommes là-bas, dit-il, on ne connaissait pas nos noms. Moi que tout le monde connaît dans mon pays, moi De Kélondi, on ne m'appelait que par « eh, tirailleur »…

— Ah, reprit Mabiala, on était tous « tirailleurs ». Là-bas dans la mère patrie, il n'y avait pas de clans, de tribus ni d'ethnies. Nous étions tous traités pareillement."

Le vieux combattant reprend plus lentement, comme pour bien faire pénétrer ses paroles dans les oreilles du président de l'amicale de son ethnie.

"Là-bas, quand on refusait de nous louer une chambre ou de nous servir dans un restaurant, ce n'était pas sur la base de la tribu ; non, quelle que soit notre origine nous étions tous frères là-bas, des Nègres. Je te dis, Massini, ce n'était pas la peine d'aller perdre une jambe ou un œil pour défendre ces étrangers et puis revenir ici nous battre entre nous pour des raisons stupides d'ethnie ; non, vraiment, ça n'a aucun sens, défendre les étrangers et nous entre-tuer dans notre pays."

Les deux soldats se turent, puis Mabiala reprit :

"Tu as assez bu. De Kélondi, partons d'ici."

Le vieux combattant est approuvé de la tête par son compagnon. Ils vident la bouteille de vin et se lèvent. De Kélondi prend sa canne, saisit son phonographe et les deux s'en vont, clopin-clopant, le borgne suivant l'estropié, leurs médailles brinquebalant sur leur poitrine, héros involontaires d'une guerre lointaine. Massini Mupepe regarde ces deux êtres vieillis, mutilés, suivre tristement et dignement les rails de leur vie, mais laissant derrière eux, bourdonnant dans sa tête comme un signal avertisseur de train, les deux mots : *notre pays.*

25

Les lendemains de guerre apportèrent un certain boom économique et un certain style de vie au pays. Les Portugais, les Libanais, les Grecs suivis plus tard par quelques Hongrois qui venaient tenter de refaire leur vie après l'invasion de leur pays, ouvrirent de nombreuses boutiques, créèrent de petits métiers, embauchèrent de nombreux ouvriers et l'argent commença vraiment à circuler. L'exploitation du cuivre fut accélérée dans le sud du pays, celle du fer et du manganèse dans le nord. Massini Mupepe continuait à conduire ses wagons chargés de voyageurs, de marchandises, de grumes et de minerais. C'était l'époque d'une nouvelle joie de vivre, l'époque où l'on faisait n'importe quoi, où l'on inventait n'importe quoi pour se faire de l'argent. Ainsi, Wendo-Sor, un ami de Massini Mupepe, abandonna son métier de mécanicien chez un marchand de bicyclettes pour entamer une carrière de musicien chez un Grec qui avait ouvert une firme d'enregistrement phonographique sous la marque *Ngoma*, le tam-tam. D'ailleurs, le phono s'était popularisé et l'évolution de la société se traduisait par le fait que les réceptions mondaines ne se faisaient plus au rythme du tam-tam désormais négligé par les jeunes, mais au son des phonos qui marchaient maintenant au courant ou avec des piles et avec des disques microsillons. Certaines personnes inventèrent un nouveau métier : ils aménageaient un local, passaient de la musique, et faisaient payer les gens qui venaient pour écouter, danser, boire. Et l'un des tout premiers succès de ces dancings, bars ou buvettes, fut le disque de Wendo dans lequel il chantait ses malheurs et ses bonheurs avec Marie-Louise :

Marie-Louise, solo e ngaï na yo mama…

Dans tous les lieux, ce n'étaient qu'airs de rumba, de biguine, de cha-cha-cha, de merengue, c'étaient des rythmes qui huilaient les hanches des femmes, les rendaient souples comme des corps de boa, faisaient monter et descendre les fesses en mouvements de va-et-vient suggestifs et lascifs ; c'étaient des musiques qui droguaient le cœur des hommes, qui permettaient à leurs yeux langoureux de courir sur les seins des femmes gonflés de plaisir, sur les fesses qui gigotent et qui trémoussent… Des activités louches naquirent autour de ces lieux et les premiers lupanars ouvrirent leurs portes.

Avec *Marie-Louise*, Wendo devint non seulement plus populaire que tous les autres chanteurs, mais plus populaire aussi que Massini Mupepe. À la nouvelle génération qui montait, la locomotive banale et quotidienne ne disait absolument rien, tandis que le succès d'un Wendo ! D'autres noms proliférèrent, des sportifs, des commerçants riches. C'étaient des gens de la ville qui n'avaient plus de lien organique avec leur village d'origine, des gens qui n'avaient pas, comme Massini, un petit coin de bois où reposaient leurs ancêtres ; ces gens essayaient de rattraper, de saisir toutes les nouveautés que l'Europe parachutait sur le pays. Pour la première fois également, ces citadins autochtones commencèrent à intérioriser les valeurs culturelles venues de l'outremer. Le pays de Massini fut envahi par les chansons de Tino Rossi, les tangos de Carlos Gardel, les duos de Patrice et Mario. Les radios apparurent : Massini fut le premier à en acheter une, et il voulut réitérer le coup de De Kélondi et son phonographe auprès de ceux qui n'en avaient encore jamais vu.

Il organisa une grande fête, convia au nom de son amicale tous les gens qu'il connaissait, sans bien sûr oublier les anciens combattants, toutes ethnies confondues. Il invita également Wendo et ses deux concurrents, Paul Kamba et Mundanda. Wendo interpréta *Marie-Louise* comme il se doit, Mundanda son nouveau succès *Poto Poto*. Enfin vint le moment de Massini. Il reconnut dans la foule Milete, la jeune femme qui avait perdu son frère à la guerre, et l'appela à ses côtés. Ils sortirent une énorme caisse avec plusieurs boutons et un long fil qui courait jusqu'au toit. Il brancha sur une batterie d'automobile deux pinces reliées à un autre fil qui sortait de derrière l'appareil. Il tourna un premier bouton et une lampe s'alluma, d'abord vert pâle, puis de plus en plus foncée et dont il disait que c'était un œil magique. Il tourna un autre bouton et de la musique jaillit de la boîte. Un sourire lui fendit le visage, il bomba le torse et attendit les louanges, la surprise de produire de la musique sans disque : personne ne parut impressionné. "Il y a un phono caché là-dedans", cria quelqu'un. Alors Mupepe se fâcha : "Avez-vous vu un phono capter le monde entier ?" Il se mit à tourner rapidement le bouton des stations ; on entendait des sifflements et des crachotements, "Des bateaux sur la mer", des langues bizarres, "C'est les Américains", d'autres langues incompréhensibles, "Ça c'est de l'allemand, ça c'est du russe ou de l'arabe, car c'est pareil", de la musique, des parasites, "C'est le bruit des avions" ! La foule semblait enfin convaincue ; oui, c'était vraiment autre chose qu'un phono, "mais bien sûr, ignorants, ça s'appelle une radio, on peut capter les nouvelles du monde entier…" Et les anciens combattants d'en rajouter, de raconter comment, grâce à la radio, ils étaient au courant de tout ce qui se passait dans leur village pendant qu'ils étaient là-bas, sur le front de Verdun ou des Ardennes, dans la neige brûlante ; d'ailleurs, la radio leur avait indiqué qui avait couché avec leurs femmes pendant leur absence, qui avait dit du mal d'eux car la radio était partout, racontait tout et ne mentait jamais ! Certains invités s'éclipsèrent discrètement, se croyant démasqués, tandis que d'autres femmes redoublaient d'attentions envers leur époux ancien combattant, espérant ainsi détourner tout soupçon… À la fin de l'émission, Massini essuya soigneusement les cosses des batteries, les recouvrit d'une housse faite spécialement par Milete pour empêcher la charge de la batterie de "s'enfuir".

Mais, au-delà de ce premier succès, la maison de Massini Mupepe était devenue le lieu de rendez-vous aux heures d'émissions qui ne duraient alors que trois heures par jour. Venaient d'abord les jeunes qui arrivaient tôt, à l'heure du concert des auditeurs, écoutant Wendo, Keita Fodeba, les San Salvador, fredonnaient *Adios pampa mia*, *Ma cabane au Canada* ; ensuite arrivaient les adultes et les anciens combattants qui venaient surtout pour suivre les nouvelles d'Indochine où se trouvaient alors plusieurs de leurs frères ou amis. Ils apprirent ainsi qu'une bataille faisait rage en un lieu appelé Diên-Biên-Phû. Les anciens combattants commentaient les diverses phases de la bataille, expliquaient aux profanes ce qu'étaient un mortier, un canon sans recul, un bombardier. Au départ, la sympathie des auditeurs était du côté des maîtres étrangers car nombreux étaient ceux qui avaient un frère, un enfant, un parent, un ami dans l'armée des étrangers encerclés dans l'infernale cuvette. Mais chaque jour qui passait voyait un courant de sympathie de plus en plus fort les rapprocher de ces Vietnamiens qui résistaient à la force des maîtres. Puis la sympathie et l'admiration devinrent carrément parti pris, ils souhaitaient la défaite de l'armée des étrangers dans laquelle se trouvaient leurs frères. Ce fut donc chez Massini que les gens du pays apprirent, dans une joie mal dissimulée, que les maîtres avaient perdu la bataille de Diên-Biên-Phû. On était en mai 1954, le deuxième mois de mai historique à s'imprimer dans la mémoire de Massini.

Dès lors, sournoisement, comme une taupe fait son chemin, le dogme de l'intouchabilité et de l'invincibilité des maîtres commença à se fissurer dans la conscience collective du peuple. Les anciens combattants ne parlaient plus des nouvelles de la mère patrie, de la neige brûlante, de Paris-la-plus-belle-ville-du-monde, mais insistaient au contraire sur leurs déboires là-bas, parlaient des Blancs qu'ils avaient vus verts de peur avant de monter à l'assaut, des clochards et des mendiants à qui ils avaient fait l'aumône ; bref, le pays des étrangers n'était plus ce paradis dont ils avaient parlé. Et puis une rumeur se mit à circuler, incontrôlée, sous le manteau si l'on peut dire, puisque la radio officielle ne l'avait pas confirmée mais au contraire minimisée, voire démentie (c'est à cette occasion que, pour la première fois, la population prit conscience que la radio pouvait mentir) ; et cette rumeur, répandue par les quelques "évolués" autochtones qui lisaient les journaux métropolitains, racontait que des hommes non blancs venus du monde entier s'étaient réunis quelque part en Indonésie, à Bandoeng et qu'ils s'étaient juré de libérer le pays, tout le continent, tous les Noirs du monde. Des noms nouveaux apparurent alors auprès des héros de la propagande officielle : Kwame Nkrumah, Soekarno, Nasser, Nehru, Chou En-lai... 1955 : un nouveau monde et un nouvel espoir venaient d'éclore.

V

N'aie pas peur Bwana
Ce n'est que moi, j'ai surgi
De cette nuit noire qui me ressemble
Et nous nous sommes retrouvés face à face.

MONGALE WALLY SEROTE,
poète sud-africain.

26

Le long train chargé de wagons de manganèse gravissait péniblement la légère pente qu'il venait d'attaquer ; petit à petit il ralentit, malgré l'accélération que lui donnait le mécanicien, puis il n'avança plus du tout, ses roues patinèrent, usant encore plus les rails. Massini descendit et, avec quelques ouvriers, jeta du sable sur la voie : les roues accrochèrent alors et un violent effort de la locomotive arracha les wagons, ils roulèrent un petit peu puis se mirent à patiner de nouveau : rien à faire, le convoi était trop lourd. Cinquante wagons remplis de manganèse brut, c'en était trop pour ces vieux rails usés dont les éclisses tenaient à peine. Il fallait couper le convoi en deux et, comme la ligne était à voie unique, cela voulait dire bloquer tout trafic pendant quelque temps.

Pendant deux jours, il n'y eut aucun mouvement de train. Les voyageurs qui allaient de l'Océan au fleuve ou du fleuve à l'Océan encombrèrent les gares avec leurs bagages et marchandises tandis que ceux qui venaient des lointains villages, ne pouvant rentrer chez eux, déplièrent leurs nattes pour dormir au milieu des cris d'enfants, des régimes de bananes, des caquetages des poulets qu'ils transportaient. Pendant deux jours ils attendirent des trains qui ne venaient pas, ils tendirent en vain leurs oreilles pour détecter les sifflets reconnaissables du train de Massini. L'attente se prolongeant, les régimes de bananes commencèrent à pourrir, l'odeur des fientes de poulet se fit de plus en plus insupportable, la gare devint un vaste lieu d'ordures et de puanteurs. Les chefs de gare tentèrent vainement d'évacuer les gares et firent appel à la police. Les voyageurs et leurs familles ripostèrent en attaquant les guichets pour se faire rembourser, houspillèrent les chefs de gare et les contrôleurs, lapidèrent la police.

On envoya des fonctionnaires donner des explications pour tenter de calmer les esprits : la ligne était bloquée par un convoi de manganèse trop lourd pour la locomotive ; il fallait soit une machine plus puissante, soit couper le convoi en deux et, dans les deux cas, cela prenait du temps. Mais ces explications ne convainquirent point les voyageurs d'abord, la population ensuite, car pour eux la "machine" était plus que la machine et accepter qu'une locomotive soit incapable de tirer des wagons était comme accepter qu'un crocodile cessât de vivre dans l'eau ou l'eau d'éteindre le feu.

Les conditions d'hygiène devenant de plus en plus précaires et les esprits s'échauffant de plus en plus, l'administration décida d'évacuer les gares par la force. Elle envoya des gendarmes armés qui rouèrent de coups les contestataires, égorgèrent leurs poulets, détruisirent une grande partie de leurs marchandises, emmenèrent certains en prison. Enfin les voyageurs se résignèrent à regagner leur village ou quartier, exténués, amers mais plus sceptiques que jamais. Il y avait certainement quelque chose de louche pour qu'on les évacuât si brutalement des gares ; quelque chose d'étrange devait arriver à tous ces trains. Autrement, comment croire que la locomotive si puissante puisse s'immobiliser sans raison entre deux gares ? Ou alors, serait-ce un signe du déclin des étrangers ? Des choses commençaient-elles déjà à échapper à leur contrôle ?

La réponse vint d'elle-même. La rumeur commença du côté de l'Océan, elle suivit tout comme le train la voie ferrée jusqu'au fleuve, puis s'éparpilla sur tout le pays : les trains étaient arrêtés par l'homme le plus fort du monde, Moutsompa. Moutsompa était connu dans sa région pour ses exploits hors du commun ; on avait appris, depuis, que c'était l'homme qui, pour s'amuser, se battait seul, poings nus, contre les éléphants et les buffles ; c'était l'homme qui arrachait un baobab par la force de ses biceps, qui enfonçait un clou en tapant avec la paume de sa main, l'homme qui ne se battait jamais contre d'autres hommes et préférait se laisser insulter plutôt que de réagir tant il savait son coup de poing mortel ; l'homme qui un jour, pour amuser les gens, laissa un camion poids lourd rouler sur ses pieds sans ressentir la moindre douleur. Il n'y avait qu'une chose qu'il n'avait pas encore bravée et qui le narguait, la locomotive ! Eh bien voilà, il voulait prouver une fois de plus sa force, il s'était placé sur la voie et arrêtait tous les trains qui passaient. Le nom de Moutsompa était devenu synonyme de résistance à l'étranger, un nom qu'on lançait comme un défi à la face des gendarmes indigènes et de leurs maîtres.

Au début, l'étranger rit, s'amusa de la crédulité de ces gens à l'esprit irrationnel, ces grands enfants qui croyaient n'importe quoi. Puis il commença à être agacé par le culte que semblait inspirer le nom de Moutsompa et il se fâcha vraiment quand on commença à mettre la force de Moutsompa sur le même plan que la sienne. Il fallait arrêter cela. Les autorités lancèrent une campagne d'information en utilisant les chefs coutumiers, les présidents d'amicale, les doyens d'âge ; ils expliquèrent qu'il fallait réfléchir un peu, raisonner, comprendre qu'aucun homme ne pouvait arrêter une locomotive avec la seule force de ses bras ; il serait happé, écrasé, écrabouillé, on ne retrouverait plus de lui aucun morceau intact. D'ailleurs les trains s'étaient déjà remis à circuler, des voyageurs avaient de nouveau parcouru tout le trajet du fleuve à l'Océan et de l'Océan au fleuve sans être inquiétés et le train de Massini rentrait tous les soirs dans les gares en lançant ses fameux coups de sifflet. Personne n'avait aperçu lors de ces voyages même l'ombre du fameux Moutsompa. Hélas, ce raisonnement logique et rationnel n'eut aucun effet ; les gens continuaient de ne jurer que par Moutsompa, "l'homme qui fait peur aux étrangers". Il devint un héros de conte populaire, un héros de légende.

Alors les autorités se souvinrent de Massini Mupepe qu'elles avaient oublié depuis la fin de la guerre, plus de dix ans auparavant, lui, l'homme qui connaissait mieux que quiconque le chemin de fer, lui, l'homme qui avait été le héros de toute une génération. On le convoqua aussitôt chez le gouverneur général, on lui assura qu'il allait bientôt faire un voyage là-bas, de l'autre côté de la mer, au pays des maîtres, en métropole comme on disait, pour apprendre à fabriquer un train tout seul. On lui rappela ses médailles, son passé d'employé modèle : "Toi qui as conduit la puissante locomotive, explique à ces gens qu'aucun être humain n'est capable de l'arrêter ! Parle de notre puissance illimitée, tu vois, nous avons conquis le vent avec l'avion qui arrive à voler plus vite que l'aigle et l'hirondelle bien que plus lourd que l'air, nous avons emprisonné le son avec le phono et la radio, nous avons piégé l'image avec la photo et le cinéma, nous dominons tout ! Regarde les voitures qui roulent, les bateaux qui naviguent, nous avons inventé tout cela et c'est autre chose que le tam-tam et le balafon ! Toi qui es intelligent, explique à ces gens qu'à côté de toute cette puissance, un pauvre Moutsompa…" Chaque parole du chef des étrangers ne faisait qu'aviver l'amertume de Massini car, au fur et à mesure, il comprenait qu'on ne lui demandait que de jouer un rôle de plus. Lui qui n'avait jamais dépassé le grade de simple mécanicien après une vingtaine d'années de bons et loyaux services, lui qu'on avait oublié après la guerre parce qu'on n'avait pas besoin de lui, voilà maintenant qu'ils le flattaient, qu'ils lui racontaient n'importe quoi pour l'allécher. "… Alors brave Massini, premier conducteur de train du pays, homme intelligent, ils comprendront si tu leur expliques tout cela…" La population est ameutée, grand meeting, toute la capitale est là ; le gouverneur et le chef militaire se tiennent sur une estrade dont Massini, à qui on a fait porter ses décorations, est le centre.

Le gouverneur parle d'abord, on traduit, la foule applaudit poliment. Il se tourne alors vers Massini :

"Massini, explique-leur qu'aucun être humain ne peut arrêter un de nos trains."

Massini se lève, on l'applaudit chaleureusement, plus chaleureusement que le gouverneur. Il sourit et se met à parler, il n'a pas besoin d'interprète.

"Vous me connaissez tous, je suis Massini Mupepe, l'homme qui a maîtrisé la locomotive ; beaucoup d'entre vous ont voyagé dans mon train et vous savez tous que je suis le premier et le meilleur mécanicien de ce pays, notre pays à tous, qu'on soit du Sud, du Nord, de l'Est ou de l'Ouest."

La foule applaudit. Certains n'avaient jamais entendu un tel langage et découvraient brusquement qu'ils avaient beaucoup plus de choses en commun entre eux qu'avec l'étranger qui n'avait cessé de les diviser. Le gouverneur inquiet regarde l'interprète qui lui traduit à l'oreille :

"Il dit qu'il est le meilleur conducteur de train de tout le pays, que ce soit le Nord le Sud, etc."

Le gouverneur se détend, soulagé. Massini Mupepe continue. Sans qu'il s'en rende compte, les paroles des anciens combattants, De Kélondi et Mabiala, lui reviennent à l'esprit, le souvenir du jeune Poaty qui, bien que n'étant pas de son ethnie l'avait considéré comme son seul parent, remonte à sa mémoire :

"Comprenez bien, nous sommes tous du même pays. Et je peux le dire d'autant plus que j'ai été le premier à avoir dit publiquement qu'il était idiot de former des amicales où l'on ne recrute que les membres de son ethnie, ce qui fait que toute rencontre amicale sportive ou autre devient automatiquement une petite lutte entre ethnies. N'avons-nous pas d'amis en dehors de notre région ou de notre clan ? Regardez les étrangers qui sont chez nous, il faut suivre leur exemple ; ils ne sont pas tous du même village ni de la même région ! Alors pourquoi nous battons-nous toujours entre nous ?"

La foule est surprise et émue ; c'est la première fois qu'elle voit un des siens parler publiquement de cette manière, dans ce langage fraternel, eux qui sont groupés par quartiers autour de leur ethnie, de leur lieu d'origine, ou dans des équipes sportives bâties autour de leurs amicales tribales encouragées par les étrangers. Le gouverneur quant à lui se tourne vers son interprète :

"Il dit que nous devons prendre nos maîtres étrangers en exemple."

Le gouverneur est très content de Massini, il est fier de son habileté politique, de son ingénieuse idée de donner la parole si généreusement à un indigène acquis à la cause. On le nommera citoyen de la mère patrie ! Massini continue à plonger son cœur dans la foule, dans ces visages d'hommes et de femmes frères et sœurs ; il puise au fond de lui-même, dans ses expériences, il revoit l'arrivée de l'étranger dans Lubituku son village, il revoit les travaux forcés, la collaboration des notables comme son oncle, la mort de son père, de sa mère, les anciens combattants estropiés descendant des trains. Il crie comme frappé d'une douleur aiguë :

"Pourquoi ne pouvons-nous être maîtres chez nous ? Pourquoi travailler pour ces gens qui viennent on ne sait d'où ? Unissons-nous, mes frères, et si vous croyez que je suis un homme sincère, alors je vous en prie, écoutez-moi et retenez ce que je vous ai dit ici."

L'interprète : Il dit qu'ils sont tous frères et ils doivent écouter ce qu'il est en train de leur dire.

Hochement de tête approbateur du gouverneur.

Massini : Vous avez tous compris ce que je vous ai dit ?

La foule : Ouiiiii !

Massini : Vous avez bien compris ?

La foule : Ouiiiii !

Massini : Nous sommes tous… ?

La foule : … frères !

Massini : Bien. Et maintenant parlons du train, de ce fameux train. J'ai toujours pensé que le jour où nous arrêterons ce train, ce sera le commencement de la fin de ces messieurs à côté de nous et de leurs dames. (Clins d'œil ironiques, bravos de la foule.) Mais puisqu'on me demande de raconter ce que j'ai vu, ce que je sais, je vais d'abord vous dire que je n'ai jamais vu Moutsompa.

L'interprète : Il n'a jamais vu Moutsompa.

Massini : Je ne l'ai jamais vu de mes yeux, mais cela ne veut pas dire que je ne sais rien car voici ce qu'on m'a raconté. À l'endroit où le train traverse la grande montagne et juste à la sortie du grand tunnel de Mbamba, il s'est tenu debout, jambes écartées de chaque côté des rails pour surprendre le train. Lorsqu'il a vu ce train de manganèse arriver, il a tendu les deux bras, le bolide est venu percuter les paumes de ses mains, il a bandé ses muscles et le train s'est arrêté net !

La foule applaudit et crie : "Moutsompa, Moutsompa, Massini, Massini." Le gouverneur ne sait plus ce qui se passe. Il demande à l'interprète.

L'interprète : Il est en train de raconter ce que les gens disent de Moutsompa mais que lui-même n'a pas vu.

Le gouverneur, furieux : Qu'il parle de notre puissance !

L'interprète : Il t'interdit de parler de Moutsompa.

Massini reprend à la volée :

"Mes frères, j'allais vous raconter tout ce qu'a fait Moutsompa, l'homme le plus fort du monde, l'homme qui tient tête à ces étrangers. Mais voilà, le gouverneur a donné l'ordre de ne pas parler de lui. (Vociférations dans la foule.) Mais maintenant, si l'un d'entre nous dit « arrêtons le train », j'espère que vous comprendrez. (Approbations et sourires complices.) Le gouverneur dit que ce n'est pas Moutsompa qui arrête les trains, mais alors, qui est-ce donc ?"

La foule : C'est Moutsompa, c'est Moutsompa !

L'interprète : Il dit que vous ne voulez pas qu'il parle de Moutsompa.

Le gouverneur : Qu'il parle de notre puissance sinon je le fous en prison tout de suite !

L'interprète : Il menace de te mettre en prison si tu continues à parler de Moutsompa.

La voix de l'interprète est couverte par les injures de la foule qui ne tient plus en place, s'excite ; les gendarmes se font plus vigilants encore.

Massini : Il ne veut pas qu'on parle de Moutsompa, il a peur de lui !

La foule : Ouiiii ! Moutsompa, reprit-elle en chœur.

Le gouverneur hurla à l'interprète de les faire taire. Il le dit à Massini. La foule le hua et commença à le lapider. La réunion tournait à l'émeute. Le gouverneur eut peur, ordonna aux gendarmes de disperser la foule et quitta précipitamment l'estrade sous les lazzis. Les gendarmes, qui avaient hérité des fonctions des anciens *mbulu-mbulu*, avaient également hérité de leurs méthodes. Il n'y eut pas de morts, mais beaucoup de blessés graves. Ce fut la première émeute populaire dans le pays de Massini.

Pendant les jours qui suivirent, le pays semblait couver quelque chose d'indéfinissable, d'insaisissable. L'administration, les étrangers, la population autochtone, tous étaient sur la défensive ; il fallait briser cette atmosphère oppressante. Les autorités décidèrent de passer à l'action et un jour, à l'aube, les gendarmes cueillirent Moutsompa dans un village, ou du moins quelqu'un qu'ils prétendaient s'appeler Moutsompa. On le promena de village en village, on le transporta de l'Océan au fleuve, on convoqua un autre meeting, on le présenta au peuple de la capitale : "Voyez ce pauvre type de rien du tout qui n'a que la peau sur les os, c'est lui Moutsompa, oui regardez bien, ouvrez grandes vos paupières, c'est lui votre fameux Moutsompa qui, paraît-il, arrête des locomotives !"

On lui présente des haltères de cinquante kilos, le pauvre hère se baisse, les attrape et essaie laborieusement de les soulever. La peau se tend sur sa colonne vertébrale, on voit les os des vertèbres, fragiles, on a peur qu'ils ne craquent ; il abandonne, épuisé. On appelle un gendarme, grand, costaud, musclé, à côté duquel Moutsompa ressemble à un nain débile. Par l'intermédiaire de l'interprète, le gouverneur demande au gendarme s'il peut arrêter les trains, non monsieur, je ne peux pas arrêter des trains, je ne peux même pas arrêter une moto, très bien brave gendarme, maintenant soulève ces haltères ;

il les soulève sans difficulté, d'abord un épaulé, puis un épaulé-jeté presque sans effort voyez, sermonne le gouverneur par le truchement de l'interprète, voyez ce gendarme qui vient de soulever sans effort ces haltères de cent kilos, il est incapable d'arrêter un train, comment voulez-vous que ce pauvre bougre malingre que vous appelez Moutsompa puisse arrêter un train alors qu'il n'arrive même pas à soulever des haltères de vingt-cinq kilos ! Savez-vous combien pèse un train ? Plusieurs dizaines de tonnes ! Allons, cessez d'être des enfants, réfléchissez un peu, essayez d'utiliser avec un peu de logique le peu de cervelle que vous avez…

Le gouverneur est content, la police et la gendarmerie sont contentes, ils ont démontré en chair et en os que ce Moutsompa est un imposteur. La question était réglée, on ne parlerait plus de lui.

Moutsompa – ou celui qu'on présentait comme tel – fut emmené en prison et fut tellement roué de coups qu'il succomba dans la nuit. Les gendarmes qui l'avaient passé à tabac, affolés, l'enterrèrent à la hâte et en cachette, à la lueur des bougies. Aujourd'hui encore, personne ne sait où se trouve la tombe du grand Moutsompa, l'homme qui, pour s'amuser, se battait avec les buffles et les éléphants les poings nus, et qui arrêtait les trains par la force de ses bras… Mais au fait, Moutsompa est-il mort ? Alors montre-nous sa tombe, menteur ! Ils nous ont présenté un pauvre hère chétif qui n'arrivait même pas à soulever des haltères de dix kilos et ils veulent nous faire croire que c'est Moutsompa, l'homme qui soulève cent kilos avec un doigt, l'homme qui déracine les baobabs, l'homme qui écrabouille les mâchoires d'un gorille avec un coup de poing, non monsieur, c'est faux, absolument faux, Moutsompa a tout simplement disparu jusqu'au jour où il reviendra nous délivrer. Des photos qu'on disait du vrai Moutsompa apparurent un peu partout dans des médaillons accrochés aux vêtements avec des épingles ou des camées portés au cou, au poignet. Les gens, en particulier ceux originaires de sa région, se réunissaient la nuit en secret, autour d'une photo de leur sauveur encadrée de fleurs et illuminée de bougies. Une véritable organisation moutsompiste mi-religieuse mi-politique se forma et les moutsompistes décidèrent de ne plus payer d'impôts, de ne plus porter de carte d'identité tant que Moutsompa ne reviendrait pas débarrasser le pays de tous ces étrangers. Le gouverneur qui jusque-là était comme le miel des abeilles se transforma en dard de guêpe. Une répression terrible s'abattit sur le pays. Tout portrait de Moutsompa disparut et la loi interdit même de prononcer son nom. On mit en prison tous les moutsompistes reconnus. Mais cela ne suffisait pas, il fallait frapper haut et fort : on annonça que Massini Mupepe, premier conducteur de train du pays, était licencié à cause de ses activités subversives et moutsompistes. La mesure causa un véritable choc. Le peuple eut alors peur, les moutsompistes se firent de plus en plus discrets et, un an plus tard, ce fut à peine si on se souvenait de Moutsompa et de ses exploits. Le gouverneur général, le chef des étrangers dans le pays, était heureux, il avait enfin gagné la bataille. On le rappela chez lui, on lui donna d'autres décorations méritées par sa politique de pacification outre-mer, il monta en grade et se fit remplacer par un autre. Le premier grand mouvement populaire contre les maîtres se termina donc par un échec, mais un grain avait été semé.

Massini Mupepe dut abandonner ce qui avait été pendant vingt ans son unique passion, la locomotive. Il n'était plus Massini Mupepe qui entrait comme le vent en ville, avec un sifflement long, deux brefs, et un long ; Massini Mupepe et son train que les enfants couraient voir, au milieu du tac-tac, tac-tac, tac-tac, incessant des roues métalliques ; Massini Mupepe dont le long et lourd train chargé de wagons de manganèse arrachait des plaintes sourdes aux éclisses des rails. Il se retrouvait nu, sans rien. Il n'était plus que Mandala Mankunku. Que faire maintenant qu'il était sans travail pour survivre dans un monde où la nouvelle valeur était l'argent, surtout si on n'avait jamais été à l'école et qu'on n'avait jamais appris à lire ni à écrire ? Comment apprendre un nouveau métier à son âge ? Il pensa un moment retourner dans son village, à ses plantes et à ses recherches. En attendant, le soir, il s'asseyait souvent devant sa maison et regardait monter la lune avec la rumeur crépusculaire de la ville ; et il pensait à son passé, à sa jeunesse qui était déjà si loin. Il pensait à son oncle Bizenga et aucun remords ne remontait en lui, il avait fait ce qu'il fallait faire. Il cherchait également sa mère parmi les étoiles et, enfin, sa pensée revenait toujours à ses connaissances, à tout ce qu'il avait découvert, les feuilles de *mansunsu*, le quinquéliba contre le paludisme, le *kimbiolongo* aphrodisiaque et tant d'autres choses encore. Qui sait ce qu'il aurait pu découvrir s'il était resté dans son village ? Mais il lui semblait quand même que cela pesait peu en face des étrangers. Que pouvait-il inventer ? Même s'il inventait l'eau qui ne mouille pas, cela ne changerait probablement rien. Néanmoins il ne se sentait pas encore dépassé, il se sentait à l'aise dans la société dans laquelle il vivait car il était encore capable de prendre part aux luttes de son pays, comme l'affaire Moutsompa l'avait montré. Mais il sentait aussi que l'Histoire le rattrapait à grandes enjambées, lui qui avait toujours été en avance d'un comportement social ou d'une découverte. Que n'avait-il appris à lire ? C'était probablement maintenant la voie royale vers la connaissance ; le pouvait-il encore à son âge ?

Il se perdait ainsi chaque jour dans les méandres de ses pensées pour n'en sortir que lorsque Milete venait le voir. Ils s'étaient attachés l'un à l'autre depuis leur première rencontre il y avait un peu plus de dix ans, lorsqu'il avait adressé la parole à cette jeune femme éplorée venue attendre son frère qui ne revint jamais d'une guerre lointaine.

C'est alors que surgit brusquement cette fille du Nord.

27

On dit d'abord qu'elle venait du Nord, puis d'autres témoignages prétendirent qu'elle était une fille originaire du Sud qui s'était égarée au Nord. En tout cas, sa renommée et son nom embrasèrent le pays comme un feu de brousse en saison sèche. Son histoire était simple, elle la racontait à tous ses fidèles : lors d'un de ces terribles orages où la colère de Dieu se manifeste par l'éclat foudroyant des éclairs qui déchirent la nuit et font éclater la coquille du ciel en des grondements terrifiants, elle avait eu une vision ; elle avait vu le fils de Dieu avec Moutsompa à sa droite, qui lui disait : "Je t'ai choisie, femme. Va, va dire au peuple de notre pays que l'heure de la libération a sonné. Tu as été choisie pour continuer l'œuvre que Moutsompa a commencée mais n'a pas terminée car, dans le plan de Dieu, son achèvement t'était réservé. Parcours donc le pays du nord au sud, de l'est à l'ouest, du centre au centre. Unis notre peuple et conduis-le !" Alors elle s'était levée avec le vent et le soleil et s'était mise à parcourir le pays à pied, en pirogue et plus tard dans les tipoyes de ses fidèles. Elle avait abandonné sa famille, refusé de prendre en mariage l'homme que lui destinaient ses parents et s'était mise à répandre la bonne nouvelle sur toute l'aire du pays. Ses paroles allaient encore plus vite qu'elle car elles étaient transportées par les ailes de libellules, relayées par le bruissement des feuilles et des herbes qui se confondaient avec le souffle des ancêtres à la tombée de la nuit, et enrichies par les conciliabules de *mbongui* les soirs.

Elle avait commencé à prêcher dans les plus petits villages, à traverser les plus petits ruisseaux ; puis elle avait marché des jours et des nuits dans les forêts, elle avait bravé le soleil et les poussières qui régnaient sur les terres ferralitiques du Sud, elle avait transpiré dans les sables brûlants du Centre, elle avait pataugé dans les vasières du Nord. Plusieurs fois elle fut prise de crises de paludisme aiguës mais, au moment où on la croyait perdue, elle guérissait brusquement sans l'aide d'aucun médicament connu en pharmacie, elle se relevait et reprenait sa prédication avec une ardeur renouvelée. Enfin sa parole et sa foi descendirent le long du grand fleuve et atteignirent la grande ville.

Pour préparer la merveilleuse parousie qu'elle annonçait, elle fonda un corps de doctrine nouveau, d'un côté s'inspirant de la religion des maîtres, de l'autre la rejetant. Elle disait qu'il n'y avait qu'un Dieu tout-puissant qui s'était exprimé par l'intermédiaire de Jésus-Christ et de Moutsompa, tout autre culte étant idolâtre ; elle collectait des milliers de statuettes et de sculptures et les brûlait publiquement après une séance de prière collective pour détruire le pouvoir de ces icônes. Elle interdit la consommation d'alcool mais fit exception pour le vin de palme et d'ananas. Aux femmes elle demandait de n'épouser que le mari de leur choix et de s'affranchir comme elle de la tutelle des hommes ; aux hommes elle autorisait de prendre autant de femmes qu'ils voulaient à condition de ne pas faire l'amour avec deux femmes différentes dans la même semaine, semaine qui comptait depuis longtemps sept jours. À tous et à toutes elle demandait de déserter les églises étrangères qui n'étaient que lieux de menteries et de détournement de la parole de Dieu. Elle introduisit dans ses hymnes inspirés aussi bien de la tradition que des chorals catholiques et protestants le nom de Moutsompa et, en plus de la croix, elle demandait à ses fidèles de porter une feuille de palme verte. Quant au péché, il était une affaire individuelle, il était donc inutile de se confesser pour se purifier, il suffisait de s'exposer à la pluie, eau divine et bienveillante…

Il fallait la voir cette Sainte du Nord, Santu-a-Ntandu, parmi ses milliers de fidèles alors que les églises, les temples, les mosquées étaient désertés. Il fallait la voir, l'entendre, cette jeune fille au pagne vert et à la blouse blanche, la tête couverte d'un mouchoir, une palme à la main, la lueur des yeux changeant avec l'émotion qui chargeait ses paroles comme les couleurs moirées et changeantes des fleurs de lantana. "J'ai été envoyée pour vous libérer, libérer le pays en poursuivant l'œuvre de Moutsompa ; mais, tant que votre cœur ne sera pas limpide comme l'eau de pluie, tant que vous n'aurez pas éloigné de vos cœurs le faux évangile des étrangers et que votre âme n'aura pas atteint la noblesse d'un palmier et la beauté des fleurs de flamboyant, nous resterons dans la misère et la maladie, nous ne retrouverons jamais le bonheur qui existait du temps de nos ancêtres comme nous l'ont promis le Christ et Moutsompa…" Elle parlait, parlait, inspirée, irrésistible. Sa voix était chaude, chaleureuse et généreuse avec ces vibrations indéfinissables que doivent contenir les chants des anges. "Alléluia, lançait-elle. Alléluia", lui renvoyait immédiatement la foule en écho. Elle battait des mains, lançait un cantique, la foule reprenait avec des battements de mains et de tam-tams, des tintinnabulations de clochettes. Alors l'esprit de Dieu descendait sur celles qui étaient purifiées et les femmes touchées criaient "Yesu, Yesu" et, par un soudain don de glossolalie, se lançaient dans un caquetage babélesque que seule la sainte semblait comprendre, puis se remettaient à crier "Yesu, Yesu", se trémoussaient, trépignaient, sautaient, tombaient par terre dans un état cataleptique, roulaient sur elles-mêmes, râlaient, laissaient couler la bave blanche du mauvais esprit qui s'en allait de leur corps enfin purifié ! Et la Sainte du

207

Nord, Santu-a-Ntandu, leur jetait un regard maternel, un regard plein d'amour qui les couvait, les calmait, les caressait comme un baume tandis que les alléluias sanctificateurs lancés sans arrêt traversaient la substance même de leur âme et de leur corps.

Mais voilà qu'une autre, plus inspirée, se dresse soudain, les yeux transparents : "Alléluia, alléluia", lui répond l'assemblée ; elle parle, se met à vaticiner, regarde le coin où sont assis les hommes : "Oui Seigneur. Ta Malonga, lève-toi, révèle ici ce que cache ton cœur de sorcier." Ta Malonga essaie de se cacher, de s'enfoncer sous terre, on le relève, il tremble, il a été démasqué comme tous les hypocrites, les traîtres, les espions des étrangers, les sorciers, les voleurs, les magiciens qui n'adhéraient à la nouvelle religion que pour donner le change à leurs amis. Eh bien, lorsque l'esprit du Bien descendait sur la foule, ces âmes fourbes étaient également saisies, elles trépignaient, hurlaient "Yesu, Yesu" mais tombaient foudroyées dans un état quasi tétanique dont elles ne se relevaient jamais... Et c'est ce qui va arriver à Ta Malonga... il sent qu'il est pris au piège, regarde désespérément autour de lui et... prend ses jambes à son cou dans une fuite éperdue. On crie, on le poursuit un peu puis on l'abandonne à son sort : la puissance de la Sainte à détecter les mauvais esprits a été une fois de plus démontrée.

Beaucoup de gens donc mouraient et cela ne faisait qu'ajouter à la gloire de la nouvelle foi car il ne pouvait y avoir de religion sans ordalie. On lui amenait des femmes accusées d'adultère mais qui niaient les faits afin de détecter si elles mentaient, on lui amenait des sorciers accusés d'avoir "mangé" quelqu'un, on lui amenait des femmes stériles, des paralytiques, des malades incurables. Elle se déplaçait parmi eux, caressait une tête, frôlait un autre de sa palme verte, soufflait dans les yeux d'un aveugle, calmait un cri de douleur d'un mouvement de main, véritable reine bienfaitrice au milieu de son royaume. Et des aveugles retrouvaient la vue, des paralytiques se levaient, des culs-de-jatte marchaient, des femmes adultères avouaient, des voleurs restituaient leur butin et des sorciers étaient démasqués ; et ceux qui ne guérissaient pas étaient ceux qui n'avaient pas le cœur transparent comme la rosée du matin, ceux qui n'étaient pas sincères dans leur foi. On les abandonnait alors au démon…

En vérité, il semblait qu'il n'existait plus qu'une seule personne dans le pays, Santu-a-Ntandu. Bien loin était le temps où l'on se passionnait pour Massini Mupepe et sa locomotive, pour Wendo et sa *Marie-Louise*. Les églises chrétiennes harcelaient l'administration avec leurs plaintes contre cette fausse prophétesse qui semait le trouble parmi leurs fidèles ; la police quant à elle se plaignait auprès du gouverneur des désordres que ne manquerait de causer cette aventurière qui ne se cachait pas de recréer un mouvement interdit, le moutsompisme. L'administration hésita entre plusieurs formes d'actions puis finalement décida de laisser faire les choses, espérant que, comme pour tant d'autres mouvements millénaristes, le temps se chargerait de l'émousser sinon de le faire disparaître complètement. Ce ne fut pas ce qui arriva, bien au contraire, le mouvement ne fit que prendre de l'ampleur. Alors la police, l'armée et la religion se mirent à combattre ensemble ce fléau, la Sainte du Nord, Santu-a-Ntandu.

Comme elle l'avait toujours fait depuis son arrivée au pays de Massini, l'administration des étrangers n'avait qu'une réponse finale à toutes les situations qui se présentaient, la force. On envoya donc l'armée à la recherche de la mystérieuse sainte dont personne ne savait le nom véritable. Mais l'armée arrivait toujours trop tard, la sainte ne se trouvait plus à l'endroit où sa présence avait été signalée. Alors les militaires, comme tous les militaires du monde, excédés, pillaient les villages, emportant poulets, chèvres, violant les femmes, battant les hommes tout comme au bon vieux temps des *mbulu-mbulu* d'avant-guerre. Les soldats passèrent ainsi six mois à la traquer, par camions blindés, par hélicoptère, à pied, en pirogue, de village en village, de forêt en forêt, de rivière en rivière. Un jour, ils crurent l'avoir prise au piège dans les marécages du Nord ; on l'avait, paraît-il, encerclée, les hélicoptères l'avaient repérée, la capture n'était plus qu'une question de minutes, surtout ne quittez pas votre poste radio, c'est moi le chef d'état-major de l'armée qui vous parle, la nouvelle de l'arrestation de cette criminelle sera annoncée d'un instant à l'autre, peut-être même avant que j'aie terminé de lire cette communication.

Mais les minutes devinrent des heures, les heures des jours, les jours des semaines et la sainte n'avait toujours pas été capturée. D'ailleurs pouvait-on arrêter une sainte qui pouvait disparaître quand elle voulait, allait voir Dieu pour causer et revenait quand cela lui plaisait ? Tenez, une fois, sa pirogue avait été endommagée par les tirs des militaires et prenait de l'eau de toutes parts ; eh bien, elle s'était levée et, comme Jésus, elle avait traversé la rivière en marchant sur les eaux. Une autre fois, elle était au milieu de ses fidèles lorsque les troupes les encerclèrent ; mais voilà, tout d'un coup elle ne fut plus là. On ne sut jamais ce qu'elle devint ce jour-là : vent, grain de sable, fourmi, feuille de palmier ? Une autre fois enfin, en désespoir de cause, on avait envoyé des espions avec des caméras et des magnétophones pour la surprendre en flagrant délit de prêche subversif ; eh bien, non seulement les films refusèrent de s'impressionner, mais les magnétophones aussi n'eurent de cesse d'oublier ce qu'ils avaient enregistré. En effet, une fois la bobine déroulée, les paroles de la sainte s'envolaient définitivement avec l'air et la bande redevenait vierge. D'ailleurs ce n'était pas tout. On fit appel aux grands féticheurs. Ils se réunirent et décidèrent d'employer un *kipoyi*. Il suffisait de suspendre un objet du disparu sur une branche portée par deux hommes, et la branche vous conduisait immanquablement à la personne ou à l'objet recherché après les adjurations d'usage. C'était ainsi qu'ils détectaient les sorciers et autres malfaiteurs du village. On suspendit donc un foulard vert perdu par la sainte à une branche de l'arbre *ntela* portée par deux solides gaillards ; des blindés et une section de soldats se mirent derrière les porteurs pendant qu'un hélicoptère les survolait. Et les féticheurs adjurèrent, vaticinèrent, crachèrent du vin de palme en fines gouttelettes sur le foulard, va *kipoyi*, aussi vrai que l'esprit des ancêtres est juste et aime la vérité, conduis-nous à cette Santu-a-Ntandu où qu'elle soit, où qu'elle se cache, que ce soit au plus profond de la forêt avec les pygmées, ou bien qu'elle se terre comme un fourmi-lion dans son entonnoir de sable, va *kipoyi*, va... Les porteurs commencèrent à balancer d'avant en arrière, et tout d'un coup démarrèrent, comme une moto qui s'emballe, et se mirent à courir vers le lieu où se cachait la femme traquée, suivis par l'hélicoptère, les blindés et les soldats. Le *kipoyi* était infaillible, et sa force continuait à pousser les deux porteurs qui marchèrent pieds nus sur les tessons de bouteilles sans se blesser, ils marchèrent sur les braises laissées par les incendies de forêt qui couvaient sous les tourbes sans se brûler, ils traversèrent des buissons épineux sans qu'une épine les égratignât, écrasèrent des vipères sans se faire piquer, ils coururent droit devant eux, poussés par la force du *kipoyi* comme un aimant attire la limaille de fer… jusqu'au grand fleuve qui les engloutit tous, porteurs, blindés, soldats, et même l'hélicoptère dont les pales s'étaient accrochées aux arbres. Ainsi, ils ne purent jamais traverser pour rejoindre l'autre rive où se trouvait la sainte ! Même le grand fleuve la protégeait. Et c'était cette personne-là qu'ils croyaient arrêter ! La Sainte du Nord, Santu-a-Ntandu : elle était partout et nulle part.

28

Une nuit que Mankunku s'était couché après avoir réfléchi pendant des heures sur sa vie comme il le faisait de plus en plus maintenant, on frappa à sa porte. Surpris, il se leva. Qui pouvait lui rendre visite ? Il alluma sa lampe à pétrole et ouvrit : c'était Milete, seule, le visage caché derrière un mouchoir. Mankunku était étonné ; qu'allaient encore raconter les gens s'ils la voyaient chez lui à cette heure-ci ? Elle avait l'air préoccupé, elle ne le salua même pas.

"Je t'en prie, Mankunku, laisse-nous entrer vite avant qu'on ne nous voie."

Il s'effaça et fut très surpris de voir qu'elle n'était pas seule, elle était accompagnée d'une autre femme.

"Voilà, reprit d'une voix suppliante Milete, il y a des années que tu me connais, Mankunku, tu as confiance en moi, n'est-ce pas ?

— Bien sûr ! Qu'est-ce qui se passe ?

— Tu es la seule personne en qui j'ai confiance, et je viens te demander un service important, très important. Je te prie d'accueillir cette femme et de la cacher pendant quelques jours.

— Mais Milete, on ne cache pas quelqu'un comme ça ! Qui est cette femme, qu'a-t-elle fait ? A-t-elle fui son mari ?

— Non, rassure-toi, elle n'est pas mariée, ce n'est pas une histoire d'homme et de femme ; elle n'a tué personne, elle n'a commis aucun crime. Elle a tout simplement besoin d'aide, protège-la pendant deux ou trois jours, pas plus. Je t'en supplie, aide-moi, aide-nous."

Mankunku regarda la femme debout dans un coin. Elle était maigre, on la sentait épuisée, au bout de ses efforts. Elle retenait avec une lassitude apparente le mouchoir qui lui couvrait la tête. Par contre, une flamme chaude et évanescente brûlait au fond de ses prunelles et donnait à son visage émacié une force et une beauté quasi surréelles. Mankunku sentait presque physiquement la chaleur de ce regard qui l'enveloppait. Il semblait percevoir quelque chose de familier, reconnaître quelque chose qu'il n'arrivait pas encore à saisir, une sorte d'énergie qui émanait de cette personne.

"Dites-moi la vérité, femme. Qui êtes-vous ? Il me semble que je vous connais sans cependant vous connaître.

— Je suis Santu-a-Ntandu, la Sainte du Nord."

Mankunku en resta abasourdi. Il était heureux et il avait peur, il se sentait honoré et il se sentait trahi par Milete ; tant de sentiments contradictoires traversaient son esprit qu'il resta longtemps sans proférer. Les deux femmes ne bougeaient pas, elles regardaient le visage mouvant de Mankunku. Enfin il sortit de son débat intérieur, le visage apparemment calme, les yeux rayonnant de fierté et de résolution.

"Merci Milete, merci Santu-a-Ntandu d'avoir pensé à moi. Il y a longtemps que j'ai parlé de libérer notre pays, de nous unir, mais tu vois, entre parler et agir… Vous êtes une femme bien courageuse ! Je ne mérite pas de manger dans la même assiette que vous. Ah, je suis honoré ! Oui, Mandala Mankunku est content, heureux. Restez ici autant que vous voudrez, restez un mois, un an, votre combat est le nôtre et ils passeront sur mon corps avant de vous arrêter.

— Merci beaucoup, Mankunku, dit Milete, je savais que tu nous aiderais.

— Merci, dit la Sainte, Dieu vous bénira.

— Même sans la bénédiction de Dieu, je vous aurais donné l'hospitalité au nom de nos ancêtres communs.

214

— Franchement, je n'en pouvais plus, je n'en peux plus, je suis fatiguée de courir de place en place, de me déplacer la nuit dans les villages et les forêts, de ne pas assez dormir. J'ai besoin de me reposer, de reprendre mes forces avant de continuer. Merci à toi aussi, Milete."

Milete se tourna vers Mankunku.

"Il y a longtemps que je connais la Sainte mais je ne voulais pas te donner des soucis, Mankunku, à cause de tous les ennuis que tu as eus avec l'affaire Moutsompa.

— Dans ce cas, je suis content d'avoir eu ces ennuis car, sans cela, la Sainte n'aurait jamais cherché refuge chez moi.

— C'est vrai, dit Milete, c'est à cause de tout cela qu'elle m'a demandé de l'emmener chez toi.

— Vous avez dit que j'étais une femme bien courageuse, dit la Sainte, mais vous aussi vous êtes un homme courageux. Abandonner le prestige, la célébrité et l'argent comme vous l'avez fait est aussi un acte de courage.

— Hélas, le courage n'est pas tout. Mon acte de courage personnel n'a rien changé à la situation de notre pays, les étrangers sont toujours là et vous êtes toujours persécutée. Ils auraient bien pu me mettre en prison ou me tuer, j'aurais sacrifié ma vie pour rien. Non, il faut plus, et c'est ce plus que je n'ai pas que vous avez.

— Sans votre acte de défi au gouverneur, je n'aurais peut-être pas fait ce que j'ai fait.

— Peut-être, mais vous avez réussi à soulever un pays entier, à jeter une administration dans la panique, vous avez réussi à ridiculiser une armée et une police coloniales auxquelles rien n'avait résisté jusque-là : rien que pour cela, Santu-a-Ntandu, vous êtes une femme extraordinaire. Restez ici autant que vous voulez. Reposez-vous, prenez des forces. Je n'ai pas peur. Personne ne sait ce que nous réserve l'avenir mais, comme je l'ai toujours pensé, l'Histoire est comme le grand fleuve, elle a ses détours et ses retours. Allez, bonne nuit Milete, ne tarde pas trop à rentrer et fais bien attention.

— Bonsoir, Milete, et merci, lui dit la Sainte.

— Bonsoir, Santu-a-Ntandu, bonsoir, Mankunku. À demain. Vous pouvez compter sur moi, le secret sera bien gardé."

Elle ouvrit la porte, scruta un instant l'obscurité, fit quelques pas dehors et fut happée par la nuit.

29

Alors que l'armée épuisée, la police honteuse, le gouverneur gêné devant le ministre des Colonies et les autorités religieuses continuaient laborieusement leurs recherches en accentuant la répression, la Sainte se reposait depuis bientôt quatre mois chez Mandala Mankunku et reprenait des forces. Pendant ce temps, on continuait à la voir partout et nulle part, au Nord, au Sud, au Centre, mais personne n'avait pensé qu'elle pouvait se cacher dans la capitale, cette nouvelle métropole cosmopolite.

Cependant, des rumeurs commencèrent à circuler selon lesquelles l'armée et la police s'apprêtaient à une opération de ratissage dans tous les quartiers de la ville, maison par maison. Dans ces conditions, la sécurité de la Sainte n'étant plus assurée, il fallait la cacher ailleurs. Ils décidèrent qu'elle irait à Lubituku, le village de Mankunku. Il s'activa pour préparer le départ, acheter les choses nécessaires à la vie villageoise, puis trouva trois personnes de confiance, deux hommes et une femme, pour accompagner la Sainte.

Ils partirent un peu avant l'aube, empruntant les petits sentiers des forêts afin de ne pas tomber sur une patrouille de l'armée ; ils traversèrent des rivières, grimpèrent des montagnes pour aussitôt descendre le versant opposé et, lorsque le soleil atteignit le zénith, la Sainte était épuisée. Ils s'arrêtèrent alors dans un petit village pour se reposer. On leur donna de l'eau à boire et, lorsqu'elle les remercia, les gens reconnurent la Sainte. Aussitôt la nouvelle se répandit plus vite que leur marche. Dès qu'ils arrivaient dans un lieu, on les attendait déjà avec des fruits, des œufs, des poulets, les femmes accouraient lui donner des bébés à toucher et à bénir. Plus elle avançait plus il lui devenait impossible de se cacher. Des fidèles arrivaient des villages à dix lieues à la ronde, la Sainte était là, la Sainte était revenue ! Alors le voyage clandestin se transforma en une marche triomphale. Elle avait retrouvé toute son ardeur, son zèle, le feu de sa foi. Elle haranguait ses fidèles : "J'avais disparu un certain temps pour recevoir les instructions de Dieu et de Moutsompa. Maintenant me revoici parmi vous. Il paraît que l'armée et la police me cherchent ? Qu'elles ne me cherchent plus ! Puisqu'elles sont incapables de me trouver, c'est moi qui irai vers elles, qu'elles m'arrêtent si elles en ont le courage ! Alléluia ! – Alléluia ! – L'heure de la libération a

sonné mes frères et mes sœurs, c'est ce que je suis revenue vous dire…"

Les fidèles applaudirent et ils firent demi-tour, la
Sainte à leur tête, pour reprendre le chemin de la capitale au milieu des hymnes et des chorals. Ils étaient des
milliers derrière la jeune Sainte, portés par leur foi et par
leurs chansons que l'écho des montagnes et la profondeur des forêts amplifiaient :

> *Telema a a…*
> *Telema a a…*

Ils tenaient à la main des milliers de feuilles de palme
vertes et, après les chemins cailloureux qui déchiraient
les pieds nus de ces nouveaux croisés, après les vallées
boueuses, les plaines sablonneuses et poussiéreuses, ils
débouchèrent enfin sur la grande avenue asphaltée de la
capitale, devant une population citadine surprise. Toute
la circulation était bloquée. Les colonnes de marcheurs
avançaient toujours en chantant, elles s'arrêtèrent devant
la gare, à la place des Anciens-Combattants, la place la
plus célèbre de la ville. La Sainte se mit debout au pied du
monument érigé en l'honneur des enfants du pays, "tirailleurs sénégalais" qui allèrent là-bas défendre la liberté,
et se mit à haranguer la foule des fidèles et des curieux
qui les avaient rejoints : "Alléluia !" "Alléluia", reprit la
foule. Les gens quittaient leur bureau, leur commerce,
leur travail pour venir l'écouter, comme si l'ombre d'une
grève générale planait sur la ville.

Alors, instinctivement, comme si elle avait été en
osmose avec tous ces travailleurs qui se pressaient autour

d'elle, le sens de son prêche changea, il se fit plus immédiat, plus revendicatif : "C'est moi Santu-a-Ntandu en chair et en os, je ne me cache pas. Il paraît que les soldats me cherchent depuis deux ans et qu'ils ne me trouvent pas, allez leur dire que je suis là et que je les attends. Et maintenant écoutez ce que je vais vous dire. Alléluia ! – Alléluia ! – L'heure de la libération est proche, bientôt vous ne peinerez plus sous le soleil pour un salaire de misère alors que les maîtres se prélassent sous leur véranda ; tous les hommes seront égaux, et les femmes seront les égales des hommes, la justice divine descendra sur terre. Nous crions non aux injustices qu'on nous fait subir, non à l'exploitation !…" Bravos enthousiastes du côté des ouvriers, alléluias du côté des fidèles. "Allez dire aux soldats que je suis ici ; qu'attendent-ils ? Auraient-ils peur maintenant que je suis là ? J'ai été envoyée par Dieu pour vous annoncer que l'heure de la libération était proche…"

Et soudain, on entendit des sirènes, des vrombissements d'hélicoptères, des chars blindés. L'armée et la gendarmerie ne firent pas de sommations, elles avaient peur qu'une fois de plus la Sainte ne disparaisse par enchantement comme elle avait l'habitude de le faire. Elles chargèrent donc brusquement, d'abord à coups de crosse, puis à coups de grenades lacrymogènes et enfin avec les deux à la fois. La Sainte fut tirée du monument où elle se tenait, elle fut jetée à terre, piétinée, battue ; on la traîna par les cheveux sur le macadam rugueux, on lui bourra les côtes de coups de crosse et de pied jusqu'à la voiture où on la jeta. On se vengeait ainsi des mois d'humiliations. Les troubles s'étendirent, la ville entière fut saisie d'une folie d'émeutes ; on lapidait les forces de l'ordre à tous les carrefours et, dans le quartier des Bembé, les habitants chargèrent les gendarmes à coups de machette. Les émeutes durèrent toute la journée et toute la nuit. Les magasins des Portugais, des Libanais et des Grecs furent pillés et brûlés, les maîtres blancs furent pris à partie. Un couvre-feu fut alors proclamé et ordre fut donné aux soldats de tirer à vue sur les pillards. Mais, comme cela est banal partout où les militaires font la loi, ce ne furent pas seulement les criminels qui périrent sous le feu des balles. Pour couronner le tout, un violent orage éclata sur la ville, arrachant les arbres et les poteaux électriques qui s'écroulèrent sur les immeubles, causant ainsi de graves incendies, tandis que des trombes d'eau déversées sur les trottoirs emportaient des voitures et des maisons.

La Sainte fut remise entre les mains des autorités religieuses qui lui demandèrent de renier publiquement toutes les paroles hérétiques qu'elle avait prononcées : elle avait demandé à ses fidèles de ne pas jeûner en carême, de ne pas se confesser mais de s'exposer à l'eau de pluie pour être lavés de leurs péchés, elle avait encouragé les hommes à la polygamie. Elle refusa et se lança dans des imprécations incompréhensibles. Toutes les menaces, feu, enfer, et damnation, n'arrivèrent pas à l'infléchir. Elle répétait sans cesse qu'elle était l'envoyée de Dieu et de Moutsompa, que son rôle était de mettre fin à l'occupation étrangère, d'établir l'égalité entre les hommes et les femmes ainsi qu'un juste salaire. Elle disait également qu'elle allait aider les ouvriers et les employés à prendre possession des usines et des bureaux et bouter les patrons dehors. Et tout ceci, proclamait-elle, se réaliserait avant la naissance de l'enfant qu'elle porterait un jour dans son sein car celui-ci ne devait naître que libre !

Les chefs religieux qui craignaient l'effet d'une telle fermeté sur l'esprit des indigènes crédules crurent trouver là une occasion pour avilir la Sainte. Ils lancèrent une campagne de dénigrement contre l'hérésiarque, répétant, rabâchant, serinant dans les sermons où ils prenaient la croix à témoin, attention à cette femme sacrilège de Dieu, elle se dit sainte et elle est enceinte, avez-vous déjà vu une sainte adultère, une sainte souillée ?… Et la population apprit la nouvelle, la Sainte du Nord, Santu-a-Ntandu était enceinte, elle allait être mère ! Ô bénédiction ! C'était une vraie sainte, car comment adorer une femme stérile ? Et puis le bruit courut que non seulement la Sainte était enceinte mais qu'elle avait déjà accouché et, qui plus est, non pas d'un, mais de deux enfants, des jumeaux ! Elle avait encore fait mieux que la Vierge Marie ! Le respect pour la Sainte ne fit que croître. D'ailleurs on ne parlait plus de Santu-a-Ntandu, mais de la Mère mère, Ma Ngudi, la Mère par excellence. Le pays entier fit des cérémonies aux jumeaux de Ma Ngudi, malgré les menaces des autorités.

Une nuit on déporta Ma Ngudi, on ne sut jamais où. Certains disent qu'elle avait été enlevée par un hélicoptère envoyé par Moutsompa et qui l'avait emmenée loin d'ici en attendant son retour triomphal à la libération. Ceux-là redevinrent des moutsompistes fervents ; malgré les persécutions, ils refusèrent de nouveau de payer les impôts et les taxes, de déclarer leurs enfants à l'état civil, de porter des cartes d'identité. Les autorités religieuses quant à elles gardèrent un silence discret mais firent circuler par la bande diverses rumeurs selon lesquelles Ma Ngudi aurait renié tout ce qu'elle avait prêché, s'était reconvertie à la vraie foi chrétienne après avoir fait vœu de chasteté et s'était retirée dans un couvent.

L'agitation continua pendant des semaines, des mois, dans tout le pays. L'armée n'arrivait plus à établir l'ordre aussi aisément qu'avant. Le gouverneur fit alors savoir par un discours à la radio traduit dans toutes les principales langues locales que la mission de la mère patrie était une mission civilisatrice et désintéressée et qu'elle ne travaillait que pour le bien des indigènes. Désormais, grâce à une nouvelle loi-cadre, le portage, les travaux forcés, les recrutements obligatoires étaient abolis. "Une assemblée territoriale sera créée avec des représentants élus par le peuple c'est-à-dire vous-mêmes, etc." Puis on fit parler de nombreux fonctionnaires autochtones, ceux qui avaient été à l'école et savaient lire et écrire ; ils parlaient des "partis politiques" qu'ils allaient former, des "députés" qu'il fallait élire et disaient que, grâce à tous ces progrès, le pays allait devenir pour le monde entier un modèle d'harmonie et de bonne entente entre deux civilisations.

Mandala Mankunku, comme la grande majorité de ses compatriotes qui n'avaient jamais été à l'école, ne comprenait pas grand-chose à ces mots ésotériques qui allaient symboliser les nouvelles institutions. Il avait le sentiment diffus que quelques personnes quelque part étaient en train de récupérer leur grand combat. De toute façon, il ne s'en préoccupait pas du tout, à cause de son immense douleur et de sa colère rentrées. Il pensait toujours à Ma Ngudi et à ses jumeaux. D'après le peu qu'il savait des coutumes des étrangers chez eux, il était persuadé que Ma Ngudi avait été brûlée vive avec ses deux enfants et que ses cendres avaient été éparpillées sur le pays ou jetées dans le fleuve afin de ne pas offrir un lieu de pèlerinage à ses fidèles. Il n'en pouvait plus de rester là sans rien faire. S'était-il tant aveuli, lui, Mandala Mankunku, l'homme qui avait affronté et vaincu son oncle maternel qui était aussi un puissant ? Non, vraiment il fallait se réveiller !

30

Dans tout le pays apparaissaient sporadiquement, telles des bulles d'air qui montent, enflent et éclatent à la surface de l'eau, des dizaines de femmes qui disaient être Ma Ngudi revenue, ressuscitée. Certaines se prétendaient ses descendantes directes, d'autres se déclaraient des saintes indépendantes, soit spécialisées dans la guérison de certains maux, soit incarnatrices de la vraie religion de libération nationale, mêlant les figures du Christ, de Moutsompa, de Ma Ngudi et de la Vierge Marie. Dans cette vague de religion contestataire, apparurent également des sectes venues d'Amérique, telle les Témoins de Jéhovah prêchant la fin apocalyptique du monde et prédisant un nouvel ordre de choses sous le gouvernement du fils de Dieu. En attendant ce nouvel ordre de choses, ils refusaient comme les moutsompistes de faire de la politique, de participer aux élections et de saluer le drapeau. Il y eut encore tant et tant d'autres sectes locales, les kimbanguistes, les Croix-Koma, les Zéphyrins, toutes proclamant plus ou moins la fin de la domination coloniale. Ces sectes avaient leurs racines dans le petit peuple des villes, dans les milieux populaires et paysans des campagnes. Elles firent beaucoup plus pour aiguiser le sens politique ou du moins contestataire de la population que la campagne que menaient les "conseillers" et les "députés" indigènes qui voulaient se faire élire à la nouvelle assemblée territoriale récemment créée.

Les étrangers, qui depuis un certain temps étaient sûrs d'eux-mêmes à cause de la libéralisation politique qu'ils avaient effectuée dans la foulée des événements causés par Ma Ngudi en supprimant l'ancien code de l'indigénat et en créant une nouvelle loi-cadre, commençaient à s'inquiéter, à s'énerver et à perdre leur attitude paternaliste. S'appuyant d'un côté sur les nouveaux députés qui avaient relayé les anciens chefs de tribu pour proclamer les bienfaits de la mère patrie, ils prenaient de l'autre des mesures de plus en plus draconiennes pour réprimer les revendications autonomistes. Les Églises chrétiennes se lancèrent également dans une gigantesque propagande afin d'éliminer une fois pour toutes le culte hérétique, idolâtre et sacrilège de Ma Ngudi qui semblait s'enraciner de plus en plus dans le cœur des autochtones. Elles lancèrent une campagne de distribution de médailles saintes aux beaux profils de la Sainte Marie et des saints étrangers. Les femmes auxquelles les médailles étaient destinées refusèrent de les accepter et celles qui n'avaient pas le courage de refuser couraient se cacher dans la brousse ou la forêt quand les distributeurs arrivaient.

On changea alors de tactique et les autorités civiles, militaires et religieuses collaborèrent chacune pour son intérêt personnel. L'armée arrivait d'abord, encerclait le village à l'aube et prenait tout le monde au piège ; on vérifiait les papiers de ceux qui avaient payé leurs impôts ; ceux qui n'avaient pas payé étaient emmenés en prison. On vérifiait ensuite les cartes d'électeur car ceux qui n'avaient pas voté étaient des moutsompistes subversifs. Quand l'armée et la police avaient terminé leurs vérifications, les distributeurs de médailles saintes commençaient leur travail : destruction de toute photo de Moutsompa ou de Ma Ngudi, aspersion d'eau bénite, distribution de croix de Notre-Seigneur, de médailles de baptême. Enfin l'opération se terminait par la remise d'un sac d'arachides à chaque paysan, homme ou femme, et l'agent agricole précisait bien que, pour chaque sac, l'administration comptait en recueillir trois bien pleins la récolte prochaine. Puis ils s'en allaient, laissant les paysans soumis murmurant leurs rancœurs.

Dans les villes, l'agitation continuait. Le geste le plus spectaculaire fut celui de l'abbé Zola qui rompit avec son église chrétienne. Pour protester contre ce qu'il appelait les "crimes" contre son peuple, il prit femme publiquement, s'enferma avec elle, pendant que ses ouailles entouraient sa maison et chantaient des gloria et des hymnes à la gloire de Ma Ngudi. L'abbé continua son martyre trois jours et trois nuits sans boire ni manger, jusqu'à ce matin où l'on entendit un hurlement à fendre l'âme, suivi des cris de terreur de la femme : il était mort à la tâche, premier martyr volontaire de la lutte pour l'indépendance.

Quant à Mandala Mankunku, il était toujours aussi inconsolable. Plus solitaire que jamais, retiré au plus profond de lui-même, la Passion interrompue et le martyre de Ma Ngudi, la Sainte du Nord, lui avaient arraché comme une partie de lui-même que Milete même n'arrivait pas à lui restituer. Il semblait vivre hors du monde, hors de la vie. Et puis, petit à petit, une rancœur profonde contre les étrangers monta en lui. Lui qui avait eu dans sa jeunesse une admiration presque sans bornes pour ces étrangers qui semblaient avoir tout inventé, lui qui avait été plus qu'aucun autre honoré dans sa jeunesse par ces étrangers, il ne paraissait plus qu'obsédé par une image, celle de cet homme au visage rouge comme la poudre de *tukula*, les cheveux raides comme la barbe de maïs, protégé par un casque blanc, cet homme qui était entré dans son village un jour, il y avait bien longtemps. Que se serait-il passé s'il l'avait tué au lieu de quitter la réunion ? L'Histoire aurait-elle changé ? Aurait-elle fait un détour de plus ou de moins ?

31

Après la grande aventure vécue au côté de Ma Ngudi, Mandala Mankunku sentait qu'une fois de plus il venait de perdre un grand combat. Combien de défaites lui-même et son peuple subiraient-ils ainsi aux mains des étrangers ? Il lui semblait que toutes ses luttes jusque-là avaient été dérisoires, depuis le jour où il avait désapprouvé son oncle Bizenga et quitté brusquement les lieux de tractations entre ce dernier et le premier étranger qui avait mis le pied dans son village, jusqu'à ce dernier combat de Ma Ngudi. Il se laissa d'abord aller à un pessimisme profond quant à l'issue de la lutte pour la libération ; puis il se souvint de son passé, de son aïeul Mankunku, du vieux Lukeni, de sa révolte de toujours contre tout ce qui lui semblait aller à rencontre de l'idée qu'il se faisait du monde : défi au grand fleuve, défi à la nature, défi au culte des ancêtres, défi contre Bizenga, défi contre l'étranger ! Non, il fallait se retrouver, se ressourcer et continuer le combat, ne serait-ce que pour venger la mémoire de Ma Ngudi.

Il pensa un instant assassiner le chef des étrangers ou tuer le chef des gendarmes ; mais, lucide, il se rendit compte que c'étaient là des actions irréalistes, tout juste bonnes à le faire fusiller comme un vulgaire criminel de droit commun. Il fallait que son action eût un sens, un sens symbolique. Mais comment poser un acte symbolique dans un monde où tout était sans racines, sans traditions, donc sans symbolisme ? Et, brusquement, il se souvint qu'il était forgeron et fils de forgeron.

Il construisit au fond de sa parcelle, à la périphérie de la ville, une vieille forge traditionnelle comme l'avait été celle de son père où il avait appris le noble métier de forgeron ; et, au lieu de travailler avec le fer et le plomb, il eut l'idée de faire des bijoux à partir des médailles religieuses que les gens ne voulaient pas garder. Il demanda aux hommes et aux femmes de lui vendre leurs médailles saintes et la réponse dépassa ses espoirs : ils les lui donnèrent gratuitement. Il les faisait fondre selon les techniques ancestrales et il en sortait des bijoux délicats, des colliers, des boucles d'oreilles, des bracelets, des manilles de danse. Sous sa main les saints devenaient ainsi des singes moqueurs accrochés par la queue ou par une main à une branche d'arbre, les doigts dans le nez ; ils devenaient des biches délicates et apeurées, debout sur leurs jambes fragiles, des éléphants massifs, de laids hippopotames à grande gueule, des phacochères hideux. Le forgeron Mankunku pouvait tout faire, tout inventer. Il transformait la Sainte Marie en Ma Ngudi et Jésus-Christ en Moutsompa. Et les femmes des étrangers se paraient de ces bijoux faits à leur insu de médailles des saintes, tandis que leurs hommes vantaient ces produits merveilleux de l'artisanat local.

Pendant ce temps, fait étrange qui rassura les autorités tant administratives que religieuses, le pays fut atteint, sembla-t-il, par un renouveau de ferveur religieuse : la demande en médailles saintes doubla, tripla, alors que, moins d'un an auparavant, il fallait utiliser l'armée pour en distribuer. Les évêques étaient contents, les voies du Seigneur sont impénétrables, il ne fallait jamais désespérer : c'était mieux ainsi, car la religion était un acte individuel, elle ne saurait être imposée. L'accès de piété ne fit qu'empirer, si bien que toutes les médailles jusqu'aux croix de bronze de Notre-Seigneur vinrent à manquer. Les maîtres étrangers, toujours sensibles au bonheur de leurs administrés, lancèrent une campagne désespérée dans les journaux de leurs pays, nos frères aidez-nous, il en va de l'âme de nos indigènes, nos petits frères bien-aimés dans la religion… Alors ces peuples généreux envoyèrent des tonnes de croix, de médailles, qui se retrouvèrent dans les forges de Mankunku. Mais la générosité de ces peuples ne s'arrêta pas là, ils offrirent au peuple pieux du pays de Mankunku un Noël exceptionnel : des rennes furent envoyés par des avions-cargos spéciaux, des pères Noël vêtus de houppelandes rouges et à barbe blanche furent importés, ils circulaient dans des chariots et saluaient la population ; on achemina du gui et du houx. Bref il ne manquait qu'une chose pour que ce fût un parfait Noël blanc : la neige, car personne n'avait pu résoudre le problème de son importation en pays tropical.

Mankunku gagnait beaucoup d'argent grâce à la beauté de ses bijoux mais son grand bonheur et sa grande motivation étaient d'avoir tant soit peu vengé Ma Ngudi. Malheureusement, des milliers d'autres petits volcans essaimèrent le pays, non pas vengeurs comme celui de Mankunku, mais cupides. Des tâcherons médiocres se mirent à imiter Mankunku, rien que pour l'argent sans posséder son art, et il était facile de reconnaître sur une figure de singe une partie de la croix du Christ mal fondue ou, sur un hippopotame, le profil de la Vierge mal transfiguré. Ainsi les autorités se mirent-elles à soupçonner le destin véritable des médailles saintes dont on inondait le pays. Le scandale fut grand et le sacrilège impardonnable. Il ne fut pas difficile de remonter jusqu'à Mankunku.

Ils arrivèrent tôt le matin, entourèrent la maison de Mankunku, ouvrirent les portes à coups de crosse et de botte, tirèrent Mankunku du lit, mirent la maison sens dessus dessous et découvrirent un stock de médailles sacrées attendant leur tour pour être transformées en objets sacrilèges par le feu maléfique de son athanor.

"Espèce de sale macaque de Nègre indigène d'Afrique noire tropicale sous l'équateur, fulmina le chef des militaires en colère reprenant ce qu'il avait retenu des injures que ses maîtres proféraient à son encontre, ainsi tu es fétichiste et idolâtre et ne respectes pas les saints ? Tu vas voir ce que tu vas voir !"

Il fit un signe de tête. Deux soldats se jetèrent sur Mankunku et se mirent à le frapper. Il se défendit à coups de pied et de poing, d'autres soldats se précipitèrent, il fut assommé et ramené vers le chef le visage en sang. L'homme d'Église qui les accompagnait afin d'authentifier le sacrilège ne cessait de crier "Dieu ne lui pardonnera pas car il savait ce qu'il faisait".

Les soldats le ficelèrent et le jetèrent dans un camion pour le transporter à la maison d'arrêt sous les vives protestations des voisins accourus.

La nouvelle de l'arrestation de Mankunku se répandit sur le pays comme l'ombre d'un gros nuage. Les paysans furent les premiers à protester, refusant les sacs de graines d'arachide et de maïs que leur distribuait l'administration pour les plantations d'État. Ils fuyaient les villages dès qu'ils entendaient les bruits de moteur des gros camions Diesel peinant sur les pistes à peine carrossables. Les soldats écœurés rasaient les villages et mettaient dans une prison spéciale tous ceux qu'ils raflaient. La répression devint si terrible que les paysans adoptèrent une stratégie plus passive : ils acceptaient la distribution forcée des graines mais tuaient ces dernières avant de les semer en les faisant bouillir dans de grandes touques. Avec le temps, l'agitation gagna aussi la population citadine. Ce n'étaient plus seulement ces paysans illettrés venus de leur campagne

pour suivre Moutsompa et Ma Ngudi, c'étaient maintenant les jeunes qui étaient allés à l'école. Ils apportèrent
leur soutien avec le charme qui caractérise la jeunesse,
celui de donner un sens nouveau même aux choses déjà
anciennes. Ils n'avaient pas connu l'époque de la machine
ni les travaux forcés, ils n'avaient jamais senti la brûlure
du soleil sur leur dos courbé ni la morsure du fouet dans
leur chair, et pourtant ils parlaient avec conviction. Certes,
pour eux tout était devenu mots, la parole s'était dissociée
de ce qui était, mais, comme dans toute mutation, les mots
devinrent autre chose ; ils étaient moins réels, plus indépendants des choses concrètes, mais ils étaient devenus
plus fascinants, plus puissants en eux-mêmes. Ces jeunes
n'avaient pas besoin d'interprètes, ils dialoguaient d'égal
à égal avec le maître, ils usaient des mêmes subtilités dia-
lectiques. Ils avaient abandonné les anciennes amicales
tribales pour créer des organisations qu'ils appelèrent des
"partis politiques". Ces partis organisèrent des manifesta-
tions devant la prison où Mankunku et d'autres étaient
incarcérés, signèrent des pétitions, lancèrent des tracts,
soutinrent des motions. Les étrangers étaient pris à leur
propre piège et ne savaient plus quelle conduite tenir : ils
cognaient et massaient, ils frappaient et caressaient, ils hurlaient et chantaient. Finalement, pour désarmer la force
montante de ces partis, le gouverneur général décida de
convoquer les députés indigènes de la nouvelle assemblée
territoriale pour discuter de la situation. La manifestation
que les partis politiques voulaient organiser le même jour
fut donc reportée.

32

Les députés et les étrangers avaient mené à bien leurs conversations présidées par le gouverneur général ; ils étaient flattés, ces indigènes qu'on disait évolués, coquets dans leurs veste et cravate. On avait discuté entre gens civilisés ; ils n'approuvaient pas du tout la campagne des paysans contre les plantations, bien au contraire, car la priorité des priorités était le développement de l'agriculture afin de sortir le pays de l'ornière du sous-développement ; ils n'approuvaient pas non plus l'agitation gauchiste irresponsable des étudiants ni les partis de ces intellectuels marxistes dont l'idéologie était étrangère à l'Afrique ; ils respectaient la religion et la liberté, les droits de l'homme, ils voulaient conserver l'amitié de la mère patrie dont la mission civilisatrice et désintéressée n'était mise en doute par personne. Par contre, ils s'élevaient contre les brutalités perpétrées envers les paysans car cela était contre la tradition humaniste de la mère patrie. Le gouverneur et sa délégation étaient bien contents de discuter avec ces gens évolués, réalistes, qui n'encourageaient pas la désobéissance et l'incivisme. Ils regrettaient bien quelques bavures, mais ces bavures arrivaient toujours lors du maintien de l'ordre ; d'ailleurs les responsables seraient sévèrement châtiés. Enfin, lorsque le calme reviendra dans ce beau pays, une conférence plénière se tiendra afin de discuter de l'avenir politique et économique du territoire. Et les indigènes évolués se confondirent en remerciements comme cela se faisait entre gens civilisés et promirent de raisonner la population. Ils sortirent tous dans la cour pour une dernière poignée de main.

"Au nom de mes collègues et compatriotes, nous vous remercions de votre mansuétude et de votre compréhension.

— L'important est de se concerter, de se comprendre, d'avoir un langage commun, répondit le gouverneur détendu et souriant.

— Oui, cela nous évitera beaucoup de pleurs et de grincements de dents ; nous, de notre part, nous promettons d'œuvrer pour rapprocher nos deux peuples car une scission du monde en bons et méchants, en amis et en ennemis, a le caractère d'une extrême simplification où le bien et le mal ne sont plus intégrés dans une même situation instinctive et une même relation objectale", répondit d'une traite et sans hésiter le porte-parole du groupe d'indigènes évolués, celui qui avait les lunettes et l'attaché-case.

Le gouverneur n'avait rien compris des paroles du délégué ; il fronça les sourcils et eut peur ; ces gens commençaient à parler notre langue mieux que nous, cela était plus dangereux que tous les Mankunku du monde. Il se demanda brusquement si ces gens qu'il traitait avec condescendance, ces gens qu'il croyait manipuler, ne se moquaient pas en fait de lui ; il se demanda si, derrière leurs vêtements adoptés, leur apparente docilité et leur sourire béni-oui-oui, ils ne cachaient pas quelque chose de plus sournois, de plus dangereux, bref si en fin de compte ce n'étaient pas eux qui le tenaient ! Pour la première fois de sa vie, il *vit* "ses" indigènes. Il prit un ton froid, mais n'eut pas le temps de répondre…

Ce furent d'abord les O qui les atteignirent. Ils arrivaient vite, roulaient comme des cerceaux puis s'envolaient, tournoyaient sur eux-mêmes comme des soucoupes volantes. OOO ! Puis une poussière immense, comme celle qui précède les grands troupeaux d'animaux qui courent à travers la savane desséchée. Enfin ils les virent ! Des centaines, des milliers d'hommes et de femmes, des étudiants, des paysans, des chômeurs. En effet, pendant que le gouverneur et ses députés discutaient, la foule, entraînée par les étudiants et les chefs de parti que le gouverneur avait refusé de recevoir, s'était dirigée vers le camp où avaient été enfermés Mankunku et les paysans, les avait libérés et, prise par son élan, avait continué à marcher sur le palais du gouverneur malgré l'interdiction de manifestation. Il y en avait qui tenaient des palmes vertes à la main ou des branches d'arbres vertes. Ceux qui savaient écrire portaient de grandes affiches avec les noms de Moutsompa et de Ma Ngudi tandis que d'autres demandaient purement et simplement le départ des étrangers. Ils chantaient tous :

Nsi y a beto
ba mbuta zeto
ba tu sisa yo…

Et, lorsqu'ils cessaient de chanter pour reprendre leur respiration, on entendait les bruits des pas comme un tremblement de terre courir après les O, écho profond et mystérieux des paroles de leur chanson :

Ba mbuta zeto
ba tu sisa yo ooo…

Les bouches s'arrondissaient autour du cerceau des lèvres, les poitrines aspiraient et expiraient, les jambes continuaient à marcher : et ils étaient là, entourant la délégation de députés et leur grand chef, le gouverneur général. Ces derniers étaient comme magnétisés. Il leur semblait que les O montaient, s'élargissaient, devenaient un O unique qui augmentait de circonférence, devenait une sphère les emprisonnant. Cet O les entoure, les enroule, tourne autour d'eux comme des cerceaux de hullahop. Le gouverneur et sa délégation transpirent, saignent, se tordent, rampent, râlent ; ils se sentent écrasés, piétinés, on leur taille la chair dans des rites cannibales : cent un coups de canon éclatent ! L'armée alertée est venue à la rescousse. Le charme est rompu, la bulle les emprisonnant est crevée, ils respirent. Dans la foule c'est la panique : hommes et femmes tués, mains accrochées dans les rayons et les chaînes de bicyclette, enfants écrasés dans le cafouillage… une fois de plus.

Cette fois-là pourtant, ce fut la dernière confrontation sanglante entre les étrangers et les hommes de ce pays. L'écho des O s'étendit si rapidement sur le pays qu'il enserra complètement les étrangers qui ne purent plus respirer ni dans leur vie quotidienne ni dans leurs rêves. Il ne leur restait plus qu'à partir. Ainsi, deux peuples différents, deux mondes, avaient vécu près d'un siècle l'un à côté de l'autre sans s'être vraiment connus.

33

La fin d'un règne est toujours triste. Ils partirent un matin de saison sèche, gris comme peuvent l'être les saisons sèches tropicales. Devant leur dernier gouverneur général, on baissa lentement, dans un roulement de tambours, leur drapeau qui semblait vieux et fatigué tandis que montait sous les applaudissements de la foule et les sons d'un clairon le nouveau drapeau du nouveau pays. L'ancien et le nouveau maître se serrèrent longuement la main, les deux profondément émus comme deux êtres qui se rendent compte un peu tard qu'ils sont passés l'un à côté de l'autre sans se voir ni s'être compris.

Ils partirent donc un matin de saison sèche.

VI

J'accuse la nuit de m'avoir perdu.

TCHIKAYA U'TAMSI

34

Alors ce fut le déferlement vers le pays des anciens maîtres : ceux qui voulaient devenir ingénieurs, ceux qui voulaient construire des trains tout seuls, ceux qui voulaient devenir médecins, professeurs, avocats, charcutiers, chauffeurs de taxi, ceux qui voulaient devenir théologiens pour sauver les âmes, ceux qui voulaient s'enrichir vite. Ils y allèrent par centaines et par milliers, ils défièrent la neige et le verglas, le fœhn et la tramontane, les rivières et les villes polluées par l'industrie. Ils supportèrent les agressions racistes et les chambres surpeuplées où ils attrapaient la tuberculose ; ils ne reculèrent point devant le travail à la chaîne où ils perdaient leur âme et leurs membres. Rien ne réussit à briser leur volonté d'aller là-bas. Certains embarquaient clandestinement dans les cales des bateaux où ils se faisaient dévorer par les rats, d'autres croyaient débarquer à Marseille et se retrouvaient esclaves dans un émirat du Golfe, d'autres encore périssaient dans les Pyrénées ou dans les Alpes en voulant refaire sans éléphants le chemin d'Hannibal.

Non, vraiment, rien ne pouvait les décourager, l'essentiel était d'aller là-bas.

Une fois sur place ils se firent étudiants, éboueurs, avocats, balayeurs de rues, ouvriers spécialisés, ambassadeurs, proxénètes, l'important étant de rentrer chez soi avec un parchemin vrai ou faux car, eux qui aspiraient à grimper au sommet de la hiérarchie de leur pays, ils savaient que le pouvoir ne s'acquérait plus comme du temps de la jeunesse de Mankunku, mais qu'il était désormais lié au savoir qu'avaient apporté les étrangers.

Et ceux d'entre eux qui n'avaient pu partir continuaient à rêver de ces pays où l'on ne mourait point, où tout était propre, où la science avait rendu le travail facile et équitable et où tout était pour le mieux dans le meilleur des mondes.

VII

*Mais comme je ne veux pas errer
entre ombre et lumière, je préfère
encore m'engloutir dans le noir.*

Lu Xun, *La Mauvaise Herbe.*

35

Lorsque la longue fête fraternelle de l'indépendance se fut achevée, le pays connut un calme qu'il n'avait pas ressenti depuis longtemps, comme s'il reprenait son souffle après tant d'années de tumultes et de soubresauts. La vie de Mankunku semblait battre elle aussi au même rythme que celui du pays, un rythme lent. Il se sentait heureux et libre ; il était fier de voir tous ces jeunes gens instruits de son pays s'asseoir dans les bureaux des anciens maîtres, porter leurs titres, se faire appeler Monsieur le Ministre, Monsieur le Président, Son Excellence et, parmi eux, Bunseki Lukeni, arrière-petit-fils du vieux Nimi A Lukeni. Pour sûr, quelque chose avait changé. Que de chemin parcouru, que de détours et de retours pour en arriver là, depuis le jour où l'étranger à la peau rouge était entré dans son village il y a il ne savait plus combien de lustres !

Il avait participé aux fêtes aux premières loges si l'on peut dire, puisque, reconnu et sacré héros national, lui qui n'avait jamais été à l'école et ne savait ni lire ni écrire, il avait été invité sur l'estrade officielle pendant le défilé pour se tenir aux côtés de ces gens instruits et intelligents qui maintenant avaient le pouvoir. Il avait admiré le défilé des chars et des camions, il avait ri et applaudi aux saynètes des élèves qui interprétaient les grandes scènes de la lutte pour l'indépendance, il s'était laissé prendre aux rythmes des danses folkloriques et enfin il avait bu, beaucoup bu. Mais voilà, la fête était finie, les grands combats terminés, et il n'y avait plus d'ennemis à combattre, il ne restait que le quotidien à affronter et le défilé des présidents civils et militaires qui se succédaient, chacun prétendant apporter au peuple le bonheur éternel. C'étaient les moments où même les héros se retrouvaient seuls et fatigués.

Mankunku se pencha sur sa vie personnelle comme il ne l'avait jamais fait auparavant. Il se sentait vieux et las, il aspirait maintenant au repos, au moins pour un temps. Il avait besoin d'une chose, une vie familiale ; il se rendit compte qu'il n'avait pas d'enfant. D'ailleurs, non seulement on le lui reprochait de plus en plus, mais on se moquait ouvertement de lui. La société africaine étant l'une des plus conservatrices du monde, il fallait que certaines choses fussent faites pour qu'un homme puisse être respecté : par exemple qu'il eût une femme et des enfants. Or, malgré tous ses exploits et sa célébrité, il lui manquait encore ce titre de père.

Il ne le voulut peut-être pas ainsi mais, petit à petit, ses rapports avec Milete changèrent et ce qui avait été jusque-là simple amitié se transforma en amour ; d'abord les poignées de main se firent plus longues, les regards plus appuyés… jusqu'au jour où ils se retrouvèrent à faire l'amour. Milete était heureuse, c'était son premier homme ; elle gémissait, pleurait de joie et de douleur. Elle criait le nom de Mandala, Massini Mupepe, elle disait qu'il était fort comme un buffle, puissant comme une locomotive mais léger sur une femme comme l'était le vent du matin sur son visage. Et lui aussi parlait, parlait ; il l'étalait devant lui, au rayon de soleil qui perçait à travers sa toiture de chaume et passait sa rude main d'ancien mécano sur sa peau tendre couleur de papaye mûre. Et elle, docile comme une chanson, douce comme du kapok, l'étreignait… Elle se releva enfin, s'habilla et sortit en se cachant le visage comme si les voisins avaient été témoins de sa passion amoureuse, Milete, grande et brune, noble comme un palmier solitaire.

Ils continuèrent ainsi pendant plusieurs mois, vécurent enfin comme mari et femme. Mankunku était étonné de ressentir à son âge une telle joie enfantine. Avec Milete, il refaisait les découvertes de sa jeunesse. Ils allaient souvent, la main dans la main, dans la petite forêt qui bordait la ville et, là, il lui apprenait le nom des fleurs, des plantes, il lui expliquait l'origine de la rosée du matin qui roulait, perle luisante, sur les grandes feuilles vertes des taros et des bananiers. Parfois il courait après les papillons et les libellules, les attrapait et les posait comme des fleurs délicates sur les tresses des cheveux de Milete et, tandis qu'elle essayait de lui échapper, il tentait de lui peindre le visage avec les éclats micacés arrachés aux ailes des papillons multicolores. Mais leurs meilleurs moments étaient les soirs lorsque, assis sous la lune, il lui racontait des histoires et qu'il entendait son rire plein d'étoiles s'élever pour aller se perdre parmi les Pléiades. Il lui disait : "Tu viendras dans mon village, je te montrerai le grand fleuve, mon compagnon d'enfance en même temps ami et adversaire, tu verras la plantation où je suis né, les bananiers et les palmes, je te montrerai la tombe du vieux Lukeni…" Il était heureux, ils étaient heureux.

Les personnes originaires de la région de Mankunku regardaient avec une désapprobation croissante leur liaison, non pas tant parce qu'ils vivaient en concubinage que parce qu'elle était une femme d'une autre ethnie et surtout, comme ils disaient, une femme de la ville. Ils n'avaient quand même rien dit ouvertement, pensant que c'était un de ces amours épisodiques qui fleurissaient tant en ville, ces villes aux coutumes étranges et dissolues. Le scandale n'éclata que lorsque Mankunku fit part de ses intentions de mariage. Ô malheur, ô scandale ! Tu ne peux pas nous faire ça, toi, notre ancien président d'amicale, notre Massini Mupepe, notre héros, épouser une de ces femmes de la ville aux origines inconnues ? Voyons, les femmes de chez nous ne sont-elles pas belles ?

"Milete me plaît, cela fait plus de quinze ans que je la connais. Tant de choses, tant de souvenirs communs nous lient !

— Non, tu ne peux pas l'aimer, tu connais ces filles des villes, des gens oiseux et oisifs qui préfèrent l'apparence à la substance, des femmes qui ne sont que bruits et fureurs. N'y a-t-il pas une seule fille de chez nous qui soit belle et qui te plaise ?"

On convoqua pour la circonstance une grande réunion de famille présidée par le doyen d'âge du village de Mankunku. Le vieux parla, adjura, sortit des proverbes, fit jouer son âge et ses cheveux blancs qui, paraît-il, étaient des signes de sagesse, flatta l'amour-propre de Mankunku, homme célèbre, exemple de toute une génération, et lui demanda enfin de prononcer les mots de sagesse et d'homme réfléchi que tout le monde attendait : "Vous avez raison, je renonce à Milete." Mais Mandala Mankunku n'écoutait pas, n'écoutait plus. Il pensait à ces combats qu'il avait menés pour l'indépendance du pays, à ces appels de fraternité qu'il avait lancés avec la Sainte du Nord, à ces deux anciens combattants éclopés qui disaient qu'il était absurde de se battre entre nous dans notre pays. *Notre* pays. Tout d'un coup pour lui, ce pays délimité aux hasards d'une conquête étrangère, ce pays fait de brassages d'ethnies et de fragments d'ethnies disparates prenait une existence réelle, une âme. Il se tourna vers le doyen d'âge.

"En quoi cela vous gêne-t-il si j'épouse une fille qui n'est pas de mon village du moment qu'elle est jeune et belle et que je l'aime ?"

Le doyen l'interrompit vigoureusement :

"Je te connais, Mandala, tu as toujours un mauvais esprit, tu détruis tout ce que tu touches ; eh bien, nous ne te laisserons pas détruire notre famille, notre clan. Essaye donc de comprendre, ne diluons pas nos forces dans des mariages ancillaires et de surcroît inopportuns.

— Non doyen, j'épouserai Milete !"

Brouhaha dans l'assistance. Le visage du vieux se convulse, ses yeux s'arrondissent, ses lèvres déjà épaisses gonflent de rage. Son visage rappelle à Mankunku la colère de feu son oncle Bizenga.

"Mandala Mankunku, homme destructeur ! Écoute ceci : un homme aimait tellement sa femme que pour la satisfaire il consentit sous le miel de ses paroles et la beauté de ses seins à cueillir les noix d'un palmier sacré qui poussait dans le village. Malgré les paroles des vieux qui lui déconseillaient son extravagant projet, il grimpa au palmier pour aller chercher les noix interdites. Il monta, monta. Hélas, le palmier ne fit que s'allonger, s'allonger, si bien que le pauvre homme disparut dans les nuées et on ne le revit plus jamais !"

L'assistance approuve, murmure, parle, critique. Le vieux doyen, toujours en courroux, lance, tel un démiurge, sa malédiction :

"Eh bien va, épouse-la ! Mais sache que nous ne bénirons pas ce mariage ; au contraire, nous le maudissons. Si vraiment je suis le doyen d'âge, le plus vieux de cette grande famille, que les ancêtres m'écoutent, vous n'aurez pas d'enfants, pas un seul ! Je crache ce vin en leur honneur (il se lève, fait semblant de cracher aux quatre coins de l'horizon, prend sa canne). À partir d'aujourd'hui, nous ne te connaissons plus, tu ne fais plus partie de notre clan. Le jour où tu comprendras, tu reviendras de toi-même, contrit, nous demander pardon ; ce n'est qu'alors que nous t'accepterons de nouveau, que nous te réintégrerons dans notre grande famille, pas avant."

Il tourne le dos et se met à sortir à petits pas de vieillard tremblotant de rage et de vieillesse. À son tour Mankunku se fâche :

"Vous n'avez aucun droit sur moi ! Allez-y, maudissez-moi, vous oubliez que je suis *nganga* Mankunku, celui qui détruit même les puissants ! Vous vous trompez si vous croyez me faire peur. J'épouserai Milete, vous entendez, je l'épouserai !"

Tout le monde se lève à la suite du doyen ; on proteste, on se fâche, on le quitte, adieu Mankunku, adieu, ton mariage est maudit, tu n'auras pas d'enfants tant que tu n'auras pas fait amende honorable.

Mandala Mankunku se maria avec Milete. Il ne comprenait pas comment on pouvait résister à la beauté, au charme et au courage d'une femme comme Milete. Cela faisait si longtemps qu'il avait rencontré cette jeune fille esseulée qui pleurait son frère mort là-bas, de l'autre côté de la mer, pour "défendre la liberté". Depuis, elle avait toujours été à ses côtés dans tous les grands combats pour la libération. Et voilà qu'une bande de vieux idiots qu'on n'avait guère vus pendant ces jours difficiles osait venir lui faire la morale au nom de la tribu. La société africaine était déjà très – pour ne pas dire trop – conformiste ; la nouvelle Afrique qui était en train de naître ajouterait-elle l'intolérance à ce conformisme qui étouffait déjà tout ? Qu'on me laisse vivre ma vie comme je l'entends, faire mes propres choix. Pour le moment, tout ce que je veux, c'est vivre heureux avec ma femme Milete et mes futurs enfants.

36

La femme de Mankunku est enceinte. Ils sont allés consulter deux médecins différents, ils sont formels, elle est enceinte de six semaines : il est content, il pavoise, se pavane. Il ne manque pas une occasion pour interpeller les membres de sa famille qu'il rencontre et leur crier ma femme est enceinte malgré vos malédictions, je vous interdis désormais de mettre les pieds chez moi ou de tourner autour de ma maison ; gardez vos mauvais esprits avec vous car si j'attrape l'un d'entre vous bande de sorciers à hanter ma demeure, qu'il soit sous forme de chouette, de hibou, de chauve-souris ou de simple cafard, je le tuerai, je l'écraserai comme on écrase une puce ! N'oubliez pas que je suis *nganga*, grand *nganga*…

Il dorlote, couve, gâte sa belle femme de la ville. Il lui a acheté la *Marie-Louise* de Wendo, succès de sa jeunesse, et les chansons retraçant les luttes menées pour l'indépendance ; il lui apporte des cadeaux du pays de la mer, il dépense beaucoup d'argent pour lui acheter des produits d'hygiène importés d'Europe et, suivant la dernière mode, il a acheté une layette pour l'enfant dès le sixième mois de la grossesse de sa femme.

Il veut également être sûr qu'il y aura des témoins à la naissance de son enfant, des témoins sûrs, qui épargneront au petit être nouveau venu sa propre mésaventure, celle d'un homme dont on doute de la naissance ; aussi a-t-il préparé une longue liste de gens aussi divers que possible. Autre nouveauté, sa femme accouchera dans un hôpital. Il a déjà choisi sa sage-femme, lui a offert des cadeaux à l'avance pour qu'elle prenne un soin tout particulier de sa femme car, avec ces sorciers que sont les gens de son ethnie, on ne prend jamais assez de précautions, on ne sait jamais ce qui peut arriver n'est-ce pas ma sage-femme, de toute façon je suis là, n'hésitez pas à m'appeler s'il y a quelque chose, comment, vous pensez que ces douleurs sont normales, oui, je vous crois, non non, je ne veux pas assister à l'accouchement, je pense que je ne le supporterai pas, si si, s'il faut une césarienne je donnerai mon sang, mais non, mais non, vous voyez, je suis calme, je vais m'asseoir, la sueur coule sur mon front parce que j'ai chaud et que j'ai oublié mon mouchoir…

Oyez Mandala Mankunku, ça y est, il est né le petit enfant, un garçon ! Sa face s'illumine, il essuie son visage devenu visage de père, ses mains cessent de trembler, il rit, rayonne, je vous ai bien eus sorciers, je suis papa, c'est à peine s'il aperçoit le nouveau-né à travers les vitres et les larmes qui brouillent son regard. Tout est fini, il s'en va les mains dans les poches, sifflant gaiement, rêvant de ce qu'il portera à sa femme demain matin, dès que les portes de l'hôpital s'ouvriront pour les visites.

… On dit que la femme de Mankunku a mis au monde un être tératologique, un gosse à tête de chien, une tête énorme comme une locomotive avec des yeux de chouette qui craignent la lumière… On dit que la femme de Mankunku a mis au monde un monstre à tête de chèvre, aux yeux de hibou verts comme ceux de son père… On dit que la femme de Mankunku a mis au monde un gosse à la peau blanche pleine d'écailles comme les poissons… Voyez, il était maudit, son mariage était maudit, on ne défie pas impunément le clan… La cour de l'hôpital est pleine des gens de la famille, de sa tribu ; il y a là de vieilles femmes édentées arrivées tôt le matin et qui, déjà fatiguées, se sont allongées sur leurs nattes, des vieux croquant leurs noix de kola pour retrouver un peu de jouvence, crachant de temps en temps une salive brunie par le jus amer, fiers devant les nombreux jeunes garçons et filles qu'ils ont fait venir pour assister *de visu* à une démonstration concrète de la puissance des ancêtres et du clan ; ils sont tous là qui jacassent, caquettent, ils attendent Mankunku, Mankunku le banni, pour savourer la vengeance du clan sur l'individu.

Mankunku arrive, les bêlements et les caquetages cessent. Il est surpris de voir tout ce monde ; il est pris de court, appréhensif. S'ils sont là, ce n'est sûrement pas pour lui vouloir du bien. Il se reprend en un intense effort intérieur et décide de les ignorer, de les traiter par le mépris ; de toute façon, il allait savourer sa victoire sur ces conservateurs arriérés, la victoire de l'individu seul face à la puissance organisée du groupe. Il slalome parmi les jambes, les nattes, les bancs, les crachats, monte les escaliers, emprunte divers couloirs et pénètre dans la chambre où se trouve sa femme. Il lui sourit affectueusement, approche du berceau à petits pas, sans bruit pour ne pas réveiller le cher petit être nouveau venu au monde, essaie de prendre le visage de clown drôle censé plaire aux enfants, se penche et… ô les aïeux, qu'ai-je fait ! L'enfant est difforme, a une tête oblongue, des phares dissymétriques comme yeux, non, ce n'est pas ça, l'enfant a la peau blanche, blanche sans couleur sauf un léger rose à peine perceptible autour des yeux, les cheveux sont blancs comme des cheveux de vieillard… un albinos, Mankunku père d'albinos ! Il hurle sa douleur, il crie sa colère. Il se tourne un instant vers sa femme en faisant des signes d'incompréhension ; il va vers la fenêtre, jette un coup d'œil de haine vers la foule amassée en bas dans la cour, revient vers le berceau et se met à parler, qu'est-il arrivé mon enfant, qu'est-il arrivé mon enfant ! Le médecin qui dirige le service de maternité vient le calmer ; il lui explique que ce n'est rien, un albinos est un être normal, il ne lui manque que des pigments, un peu de mélanine, c'est une petite omission génétique accidentelle, un accident congénital non héréditaire ; il grandira normalement, se mariera, aura des enfants normaux. Mankunku se laisse calmer par les paroles du médecin mais son cœur est encore lourd car, malgré toute la science étrangère du médecin, il a toujours son explication qui vient des siècles de tradition. Il caresse la tête de l'enfant. C'est quand même son fils, le sentiment paternel l'emporte sur tout, il aime son enfant, il aime sa femme.

37

Après mûre réflexion, Mankunku décida de réunir les membres de sa grande famille pour une franche explication afin, comme on disait chez lui, d'"ouvrir le péché" comme on ouvre un abcès. L'infection serait ainsi nettoyée publiquement et, une fois la situation apurée, sa femme pourrait lui faire de beaux enfants normaux car, pensait-il, aussi loin qu'on voulait s'éloigner de ses origines, elles finissaient toujours par vous rattraper ; en d'autres termes, nul ne pouvait complètement ignorer ses racines. Et Mankunku, en se tournant vers ses racines, se souvint du vieux Lukeni l'équitable qui, dans toute dispute, cherchait à rétablir l'équilibre, cet équilibre instable qui paradoxalement était le garant de la responsabilité de l'individu dans une société autrement parfaitement agencée. Peut-être les autres n'avaient-ils pas compris sa position vis-à-vis de Milete et le malentendu venait de là. Pensaient-ils qu'il voulait les défier pour le plaisir destructeur de les défier ? Il fallait remédier à tout cela.

Le jour de la réunion arriva donc. Il avait acheté du vin de palme, des arachides grillées, des bananes et du maïs cuits à l'eau, du vin rouge de vigne, boisson qui commençait à détrôner le vin de palme. Tout le monde était là, les vieux du clan, les jeunes, les anciens membres de son amicale et le doyen d'âge de son village, celui qui avait prononcé la malédiction. La cour était pleine ; il faisait beau et l'ombre était agréable sous les palmiers, les avocatiers et les safoutiers qui poussaient çà et là dans sa parcelle. Les invités buvaient le vin que Mankunku leur avait fait distribuer, croquaient des cacahuètes, rongeaient des épis de maïs. Seule Milete se tenait à l'écart, entourée de quelques rares membres de sa famille, assise sur une natte à côté du berceau de l'enfant qui dormait à l'ombre d'un ravénala.

Mankunku les laissa un moment bien savourer les vins et les mets, puis se leva. Silence.

"Je vous salue tous avec le respect que nous avons appris des anciens", dit-il, et il se mit à battre ses deux mains légèrement concavées.

La foule fit à son tour le geste et tout fut couvert un instant par les bruits assourdis par la concavité de leur source. Puis le silence revint, il reprit :

"Chers parents, chers amis, comme l'ont enseigné les anciens, il est bon d'ouvrir son cœur à la famille quand quelque chose ne va pas. Vous êtes tous au courant de ce qui s'est passé et la conséquence sur mon enfant. Si on ne se lave pas la bouche après avoir mangé des cacahuètes il reste toujours quelque chose sur les dents ; je vous ai fait venir pour que nous lavions tous notre bouche afin d'éclaircir le malentendu qu'il y a eu entre nous. Je n'ai jamais voulu détruire le clan ; je suis né et j'ai grandi avant l'arrivée des étrangers et, croyez-moi, je sais quels malheurs peuvent arriver si on ne se préoccupe pas de l'intérêt supérieur du groupe, du village ou du pays. Beaucoup sont jeunes ici et ne connaissent pas notre passé : je leur rappelle seulement que notre village a commencé à mourir le jour où le chef Bizenga a mis ses intérêts personnels avant ceux de tous. Vous m'avez demandé de ne pas épouser une femme de la ville, je vous ai dit que je ne pouvais pas obéir à votre requête car j'aimais cette femme. C'est une femme que je connais depuis des années, qui m'a nourri quand j'avais faim, qui m'a soigné quand j'étais malade. C'est une question personnelle qui n'a rien à voir avec le clan ou la tribu. Je pense que vous n'aviez pas compris ; alors, après ce qui vient d'arriver, nous devons tous prendre une attitude conciliante les uns envers les autres afin que notre grande famille retrouve son unité. C'est tout ce que j'avais à dire."

Tous les regards se tournent vers le doyen d'âge. Il vide son verre de vin rouge ; il sourit.

"Mandala Mankunku, je suis content d'entendre ce que tu viens de dire. Seul le cœur d'un animal ne change pas. Tu as compris qu'on ne pouvait pas impunément défier les valeurs établies par les anciens. Nous sommes prêts à t'accueillir de nouveau dans notre grande famille. Nous sommes prêts à te donner des assurances quant à la santé de tes futurs enfants. Nous ne te demandons qu'une chose, renonce à cette femme étrangère ; c'est la seule condition que nous posons."

Mandala Mankunku sursaute comme piqué par une guêpe. Son intense émotion qui ne peut échapper par sa voix qu'il contrôle tant bien que mal trouve un exutoire par ses yeux devenus phosphorescents.

"Si je vous ai convoqués ici, ce n'est pas pour faire amende honorable ni pour demander pardon à qui que ce soit. Je croyais que vous alliez comprendre mes explications, hélas, vous êtes tellement sectaires et bornés ! Si vous ne me voulez plus dans votre clan, je m'en moque ! Je vous répète que j'aime ma femme encore plus qu'avant et que, si j'avais à refaire ce que j'ai fait, je le referais…"

Verres suspendus, mâchoires qui s'arrêtent de mâcher, bouches ouvertes : tout le monde est surpris et le doyen d'âge plus encore que tout le monde. Ils sont venus là pour voir le célèbre Mankunku se traîner à genoux devant eux, s'excuser ; eh bien non, ils retrouvent un Mankunku toujours aussi fier, aussi arrogant et destructeur. Le vieux doyen éloigne de sa bouche le verre de vin rouge qu'il allait déguster et repousse dédaigneusement le plat de maïs et d'arachides qu'il savourait un instant plus tôt. Mais Mankunku continue :

"Je vous dis ceci : que celui qui a ensorcelé ma femme, qui a jeté le mauvais sort sur mon enfant avoue tout de suite et devant tout le monde. Je lui pardonnerai. Ensuite chacun ira de son côté, vous nous laisserez seuls et que jamais plus aucun de vous ne mette les pieds chez moi ;

moi de mon côté je vous oublierai complètement. Si ce sorcier est parmi vous, qu'il ouvre son cœur et qu'il prenne l'engagement solennel devant les ancêtres de ne plus nuire à ma femme et à mes futurs enfants. Mais s'il ne se dénonce pas, je le découvrirai quand même et je le tuerai. Je suis *nganga*, ne l'oubliez pas. J'ai fini, c'est à vous de parler."

Silences, flottements. Personne n'avoue rien ni ne prend la parole pour accoucher d'une pseudo-philosophie passe-partout accompagnée d'un proverbe pour faire "sagesse bantoue". On se tourne en désespoir de cause vers le doyen d'âge qui lui non plus n'a encore rien dit ; il crache le jus brun-rouge de la kola qu'il est en train de mâcher pour oublier le goût du vin offert par cet homme frappé d'ostracisme.

"Mandala Mankunku, ce qui nous réunit ici n'est pas une affaire banale mais quelque chose d'exceptionnel comme tout ce qui te touche d'ailleurs. Aucun sorcier ne t'a maudit, aucun sorcier n'a maudit ta femme et tes enfants. C'est tout le clan et les ancêtres avec qui te punissent pour ton arrogance, pour ton manque de respect envers moi et les coutumes. Regarde cet albinos difforme, informe, sans beauté, ce n'est pas un accident, c'est le résultat maudit de tes amours ancillaires et, comme disent les anciens, le jeune singe a une queue, s'il ne la tient pas de sa mère, il la tient de son père. J'espère que tu auras compris la leçon."

La voix de Mankunku n'arrive plus à contenir son émotion, sa colère ; celle-ci éclate, tonne, tandis que Milete près de son enfant sous le ravénala ne sait plus sur qui s'appuyer tant les regards qui l'entourent sont inamicaux.

"Tais-toi vieil imbécile, crie Mankunku au doyen, vieux sorcier. D'ailleurs je vous ai donné trop d'importance jusqu'ici. Ce n'est pas votre pouvoir qui est la cause de ce qui est arrivé à mon enfant car votre pouvoir est nul, vous m'entendez, nul ! La science du médecin étranger est plus forte que vos sorcelleries ; il m'a expliqué que ce n'était qu'un banal accident, l'enfant grandira normalement. Ce n'est quand même pas la première fois qu'un albinos est né dans ce pays !

— Et pourquoi donc nous as-tu convoqués si tu ne craignais notre puissance ? Tu as peur de nous et tu ne veux pas le reconnaître, tu te caches derrière la science des étrangers qui ne peut comprendre les choses de chez nous. Essaie de voir la vérité, petit arrogant. Tu es comme le crocodile qui pour fuir la pluie se jette dans le fleuve. Eh bien non, Mankunku, nous t'avons maudit et tu le resteras, tu n'auras pas d'enfant normal tant que tu ne nous auras pas demandé pardon ! Cet enfant n'est que la matérialisation de tes mauvaises pensées, des vilaines choses qui se passent dans ta tête, ta tête pleine d'idées monstrueuses."

Mankunku n'a pas le temps de répondre. L'enfant-accident-génétique, l'enfant-rupture-de-clan, l'enfant-esprit-matérialisé, le monstre difforme, cheveux de vieillard, petites jambes noueuses, un petit pénis invisible perdu dans la masse de chair blanche a faim. Il geint, crie, bêle, fait entendre des couinements à travers ses petites lèvres. Comme rien ne vient il hurle, ses yeux s'exorbitent comme portés par des pédoncules, son visage se crispe, véritable Masque du Courroux. Toute l'assistance a peur, croyant que l'enfant a entendu les paroles du vieux le traitant de monstre et que cela l'a mis en colère. Des femmes se voilent le visage pour se soustraire à la vue du monstre afin qu'il ne pénètre pas, à travers leurs yeux, dans leur esprit et qu'elles n'enfantent elles aussi des monstres. Une s'en va, puis une autre, puis d'autres, et tout d'un coup c'est la panique, elles se bousculent pour fuir ; elles poussent des cris de terreur, l'une se croit saisie par l'esprit maléfique du bébé-sorcier, elle trépigne sur place, gigote, elle est prise, ses yeux se révulsent, vite, on apporte le nouveau symbole contre le Mal, une croix ; elle crie "Yesu, Yesu", tombe, se roule par terre, la bave sort de sa bouche d'épileptique, c'est le mal qui sort… *Vade retro Satanas*, crie un prêtre catholique qui se signe, soulève les pans de sa soutane et fuit vers le chemin du salut, évitant de regarder derrière lui et criant "C'est le diable, c'est le diable". Même le vieux De Kélondi, vaillant combattant de la Seconde Guerre mondiale, a eu peur et a détalé, boitillant sur sa jambe gauche, aidé par sa canne conquise à un officier allemand.

Et il n'y a plus personne. La cour de Mankunku est comme un paysage après la bataille ; des verres renversés et cassés, des chaussures perdues dans la précipitation, des mouchoirs de femmes… Il ne reste plus que Mankunku, sa femme, et l'enfant qui continue à réclamer sa nourriture. Mankunku, calmé, regarde le bébé avec tendresse ; après tout, il n'a pas une aussi grosse tête que ça, ses yeux ne sont pas dissymétriques du tout, ils sont simplement un peu verts comme les siens. C'est un albinos normal, ni plus ni moins. Et, tandis que la mère se penche à son tour sur le berceau, Mankunku va chercher de l'argent dans la maison et part vers la pharmacie pour acheter ce qu'avait recommandé le médecin pour le bébé.

Milete est restée seule avec son bébé-monstre. Elle le caresse et se met à pleurer. Elle prend le cher petit enfant déformé par les sorciers que sont tous ces gens du pays de son mari. Elle ne pourrait supporter cette vie plus longtemps, elle deviendrait folle. Elle tourne en rond dans la cour, le bébé dans les bras. Elle chante pour bercer l'enfant, le visage inondé de larmes. Ce dernier continue toujours à pleurer pour réclamer sa nourriture. Cesse de pleurer, mon enfant, tu n'es pas un monstre, je t'aime. Elle s'assoit sur un escabeau, ouvre son corsage et offre à la chère créature son sein plein de lait. L'enfant suce goulûment, expirant bruyamment l'air par ses narines. Il cesse alors de se goinfrer, rote et s'endort. L'esprit de Milete vogue un instant avec la respiration bruyante de l'enfant, puis revient dans la cour. Milete pose alors son regard sur le sol jonché de détritus et de débris de toutes sortes laissés par la foule paniquée. Elle n'en peut plus, sa décision est prise. Elle réunit rapidement ce dont elle a besoin, met le tout dans une valise, prend son enfant et sort…

Lorsque Mankunku revint de la pharmacie, il ne trouva pas sa femme. Il la chercha partout, l'appela, cria ; affolé, il courut d'un coin à l'autre en suppliant, Milete ma chérie, ma femme bien-aimée, ne t'en va pas, je t'aime, tu es la femme de ma vie, je monterai sur le plus haut des palmiers pour te ramener du vin frais, je t'offrirai une locomotive neuve, Milete ma chérie, où es-tu, reviens, ne t'en va pas, tu donnerais raison à ces tribalistes idiots, notre mariage peut être heureux ; cet enfant est un albinos, soit, mais qu'est-ce qu'un albinos, nous l'aimerons, nous le choierons, il grandira et ensuite nous en ferons un autre, normal celui-là, beau comme toi avec ta peau couleur de jujube, Milete, ne t'en va pas, je t'aime, tu vois, je ne bois plus je ne dors plus je ne mange plus je ne vis plus… Il interrogea les voisins, mais personne ne put le renseigner correctement ; un lui disait que Milete avait pris un taxi, un autre qu'elle avait pris l'autobus, un autre encore qu'elle avait pris le train et quelqu'un lui dit même qu'elle s'était dirigée vers l'aéroport. Il courut partout en vain. Il ne revit plus jamais sa femme et son enfant.

38

Après la disparition de Milete, Mankunku vécut pendant plusieurs mois dans un monde irréel, en dehors de tout, rêvant de sa femme, d'une république d'êtres tératologiques et de sirènes, mangeant peu, buvant peu. De tous les combats qu'il avait menés dans sa vie, il lui semblait que c'était le premier qu'il venait de perdre vraiment et le dernier qu'il aurait à livrer. Il avait brusquement vieilli, le moindre effort le fatiguait et il restait prostré pendant des heures, seul dans sa maison vide de Milete.

Comme le temps arrange souvent les choses, il sortit peu à peu de sa stupeur et reprit goût à la vie. Il se levait très tôt le matin pour d'abord guetter la naissance d'un jour nouveau, ensuite recueillir la rosée du matin déposée sur les feuilles de *ntundu* ou de bananier et se désaltérer avec en la sirotant très lentement comme si c'était un élixir de vie. Puis, avant que le soleil ne monte trop haut dans le ciel, il rentrait chez lui pour ne plus ressortir si ce n'est pour aller à la quête de quelque nourriture. Mais si son esprit commençait à se ressaisir, son corps ne suivait pas. Il était de plus en plus fatigué et il rentrait souvent de sa promenade du matin en soufflant comme un asthmatique. Ensuite ce n'était plus seulement sa respiration, c'étaient tantôt des courbatures dans le dos ou les genoux, tantôt des maux d'estomac. Alors il ne sortit plus le matin, déçu par l'aube : la lumière blanche est nue et n'a pas de vérité. Il lui préférait désormais le soir, assis sur le porche de sa maison, attendant la fin du jour, le commencement de la nuit : celle-ci n'était peut-être pas plus véridique que le jour mais sa lumière était plus profonde, plus sournoise et, par conséquent, plus riche aussi bien en vérité qu'en non-vérité.

Mais, lorsqu'on a vécu toute une vie de combats, qu'on le veuille ou non, on ne peut échapper totalement à la vie de son pays ; aussi ce soir-là, fatigué, assis devant le pas de sa porte avec une carafe d'eau et des noix de kola pour regarder monter la Lune avec la rumeur de la ville repue de spectacle, il mit en marche contrairement à son habitude son petit poste radio, pour connaître la raison de l'agitation fébrile qui avait saisi la ville pendant la journée. En effet, toute la matinée, des camions avaient circulé avec des portraits géants du Président et des haut-parleurs invitant la population à aller au stade pour un meeting important. Et la radio était en train de retransmettre une nouvelle fois le discours de la journée.

Il écouta d'abord distraitement puis, reconnaissant la voix du chef de l'État, plus attentivement : ce dernier haranguait la foule, ridiculisant le cadavre d'un opposant politique abattu la veille et étalé là devant lui dans la poussière, sous le soleil. Auparavant, des supporters en délire avaient fait le tour du stade avec le cadavre porté à bout de bras, tels des joueurs de football faisant un tour d'honneur avec leur coupe, malmenant le corps, menaçant de l'enterrer sans ses couilles, arrachant ses cheveux et sa barbe, forçant un gros cigare à travers sa bouche, hurlant hystériquement en un acte de cannibalisme rituel. Le guide suprême de la révolution, pendant ce temps, continuait à vaticiner et à pérorer, se dandinant et pavoisant à côté du cadavre. Mankunku écoutait le long discours sans qu'aucune passion ou aucun espoir le soulevât. Les paroles du guide de la révolution n'avaient plus aucune dynamique, elles n'avaient plus ce pouvoir revigorant, galvanisant, que pouvait donner la parole, surtout dans une civilisation où elle avait longtemps été le fil principal de la continuité historique. Ces mots de liberté, de libération, d'impérialisme, de justice, de lutte, ces nouveaux chefs les avaient tellement galvaudés, utilisés à tort et à travers qu'ils étaient usés comme les seins mous et flasques d'une vieille prostituée ; ces mots étaient devenus sales, vils, tristes et lourds ; ils ne s'élevaient plus à la hauteur de Mankunku ; ils n'atteignaient plus son esprit et son cœur que comme des clabauderies insignifiantes et aussi ridicules que le sont les choses excessives.

Il arrêta le poste brutalement, effrayé. Il se demanda si vraiment c'était encore la même civilisation qu'il avait connue depuis sa jeunesse ou s'il ne vivait pas dans une société *sui generis*, une sorte de société spontanée comme on parlait d'une "génération spontanée". Il se demanda si ce n'était pas un monde qui tournait à vide, sur lui-même, sans valeurs ni racines héritées ; sinon, où se trouvait la continuité entre une civilisation dont une des bases fondamentales était le respect dû aux morts et cette nouvelle société où un homme était arrêté pour un oui ou un non, torturé, mutilé et jeté aux chiens ? Man-kunku qui croyait qu'il y avait une morale en politique était complètement perdu.

Il but une gorgée d'eau de sa carafe et se mit à mâcher une noix de kola. Ses pensées revinrent sur lui-même. Non, il ne s'était pas mis délibérément à l'écart du cours des événements de son pays, c'étaient ces événements qui l'avaient rattrapé à grands pas et repoussé à l'arrière-garde d'une nouvelle civilisation où il n'avait plus sa place. Tout comme le grand fleuve jadis lassé l'avait rejeté sur la berge afin de continuer son cours, l'Histoire l'avait aussi rejeté loin de ses tourbillons. Il ne se voyait plus que comme un vieil homme vaincu par l'amour d'une femme et d'un enfant, épilogue dérisoire d'une vie de héros. Et si, après tout, l'amour n'était pas dérisoire et était ce qui se cachait vraiment derrière les choses ? Et s'il n'était finalement vaincu que par ce qu'il avait cher-ché et traqué en vain pendant plus d'un demi-siècle ? Cette pensée sembla un instant le calmer et il se déten-dit un peu. Mais petit à petit, aussi irrésistible que l'as-cension de l'astre de la nuit, une interrogation insistante et angoissée montait en lui, envahissait son esprit. Sa frayeur spirituelle se transforma en une peur physique

dans la lumière noire et sournoise qui l'entourait : et si
derrière les choses il n'y avait… *rien ?*

39

Mankunku cette nuit-là ne put dormir ; son esprit s'agitait, son corps s'agitait. Il mit sa couverture, l'enleva, la
remit, la rejeta ; s'assit sur le lit, alla jusqu'à la fenêtre
regarder la lune impassible et les étoiles froides, puis
tenta de se recoucher. Et si derrière les choses il n'y avait
rien ! Cette possibilité qui n'avait jamais effleuré son
esprit pendant toute une vie était devenue l'espace d'une
soirée une réelle obsession. Il se retournait dans son lit,
laissant parfois échapper un soupir, le front couvert de
sueur. Comment savoir ? À qui demander ? Et puis il se
mit soudain à penser à Bunseki Lukeni et à sa femme
Muriel. Cela faisait plusieurs mois qu'ils ne s'étaient
pas revus alors que, pendant longtemps, ils se voyaient
presque quotidiennement. C'était tout juste après leur
retour des États-Unis d'Amérique où Lukeni avait fait
ses études. Mankunku considérait cet arrière-petit-fils du
vieux Lukeni comme son propre petit-fils et le couple
lui rendait bien cette affection, surtout l'Afro-Américaine Muriel qui essayait d'apprendre les rudiments de
la langue du pays de son mari. Oui, il irait les voir, ces
personnes intelligentes de la nouvelle génération, docteurs ès sciences ou docteurs en philosophie, les *nganga*
des temps modernes. Il discuterait avec eux sans honte

et avec humilité car, dans le monde actuel, il fallait l'admettre, ce n'étaient plus les vieux et leurs cheveux blancs qui détenaient le savoir mais les gens issus de longues études académiques. Peut-être enfin comprendrait-il tous ces événements erratiques dans le tourbillon desquels il était ballotté dans un monde sans axe.

Lorsque le vieux Mankunku se fut assis devant le jeune Bunseki Lukeni et sa femme Muriel, il sentit brusquement le poids de l'âge qu'il portait. Ces enfants étaient nés alors que la lune avait été conquise depuis longtemps par les hommes, et certains d'entre eux, tel le jeune Bunseki Lukeni, étaient parvenus au sommet du savoir que l'on pouvait acquérir dans les écoles de ce monde. C'était le jeune homme qui avait réussi selon les critères actuels de la société et, si l'on ne s'en était pas encore aperçu, sa belle voiture, sa grande villa et ses trois enfants suffisaient à en témoigner. Sa pratique du sport, en particulier du tennis, faisait qu'il ne paraissait pas vraiment ses trente-cinq ans.

Lukeni et Muriel étaient de leur côté très contents de le revoir. On lui présenta les enfants puis ils parlèrent d'abord de choses sans importance, de la couleur du ciel, du cri des cigales et des criquets, de l'essaimage des termites, du goût du vin de palme cette saison. Bunseki Lukeni lui demanda ensuite de lui parler de l'ancien temps, de son arrière-grand-père Nimi A Lukeni dont il portait le nom. Alors Mankunku leur raconta la vie dans le village bien avant l'arrivée des étrangers, l'amour que lui portait le vieux Lukeni qui lui avait sans doute sauvé la vie, le coup d'État avant la lettre de son oncle maternel Bizenga, son duel avec lui, la mort de ses parents, les *mbulu-mbulu*, sa venue en ville, ses années de gloire en tant que Massini Mupepe. Les jeunes gens écoutaient attentivement ce vieillard, musée et bibliothèque vivants des temps passés. Lukeni l'interrompit plusieurs fois pour lui demander si la colonisation avait été aussi dure qu'on le disait tandis que Mankunku essayait d'expliquer du mieux qu'il pouvait ce qui n'était pour ce petit-fils que de l'histoire passée sans réalité immédiate, de lui faire comprendre que ce qu'il racontait n'était pas exagéré ; il essayait de lui faire revivre la morsure du fouet sur le dos nu des travailleurs couchés sous le soleil…

L'Afro-Américaine Muriel écoutait attentivement, passionnément. Elle avait une perception des événements différente de celle de son mari, non pas tant parce qu'elle était historienne mais à cause de l'expérience accumulée de l'histoire récente de son peuple d'Amérique. Aussi, les interventions "distanciées" de son mari l'agaçaient un peu. Le vieux s'arrêta et prit une gorgée d'eau fraîche sortie du réfrigérateur.

"Je crois que je vous ai tout raconté. D'ailleurs vous qui lisez tant de livres, vous devez connaître tout cela. Ah, si j'avais pu apprendre à lire et à écrire ! Peut-être aurais-je mieux compris ce qui se passe maintenant.

— Oh, tu le sais bien, vieux Mankunku, on n'apprend pas tout dans les livres. La connaissance que tu as, ta sagesse, est celle qui ne peut être apportée que par l'expérience de toute une vie. C'est cette connaissance-là que nous n'avons pas. Chaque vie est une affaire individuelle que l'on commence toujours de zéro alors que la science est cumulative, nous la prenons là où nos prédécesseurs l'ont laissée, nous bâtissons sur cette somme.

Alors il faut que ces deux sortes de connaissances se nourrissent l'une de l'autre.

— Peut-être. Mais je ne sais plus où est le vrai, ma fille, le réel. Dans les propos des gens, dans leur comportement, on ne fait plus le départ entre un vrai acte et l'ombre de cet acte. Dans ma jeunesse je croyais que toute force avait une contre-force comme un poison a son anti-poison : ainsi le monde pouvait se contrôler ; mais maintenant, trouvez-moi la contre-image, dans un miroir, d'un acte qui n'est qu'une ombre de quelque chose qui n'existe pas.

— Je comprends ce que tu veux dire, intervint Lukeni. Ta difficulté pour comprendre le monde moderne s'explique très bien. Avant la colonisation, toi et tous ceux de ta génération viviez dans un monde clos, un système clos où les échanges avec l'extérieur étaient contrôlables, réversibles. Il était alors simple de maîtriser le monde. Depuis l'arrivée de la colonisation, ce système est devenu incontrôlablement ouvert, où tout tend naturellement vers un désordre plus grand. On ne peut plus distinguer facilement cause et effet. En ce sens tu as raison, les choses sont plus compliquées qu'avant, les ancêtres et leur monde équilibré n'ont plus de place."

Mankunku, qui avait tant bien que mal suivi ce que lui disait Lukeni, n'avait surtout que retenu la dernière phrase.

"Non, ne dites pas ça, dit-il en un cri horrifié qui était projeté du plus profond de lui-même, ne dites pas que les ancêtres n'ont plus leur place, le monde serait vide, atrocement vide.

— Le monde est vide, atrocement vide ! L'espace intergalactique…

— Mais dans ce cas il n'y aurait rien derrière les choses, plus rien n'aurait de sens !

— Pourquoi chercher un sens aux choses ? Le *pourquoi* est sans intérêt, c'est le *comment* qui importe.

— Je ne veux pas te croire, je ne peux pas croire qu'il n'y a rien derrière l'apparence des choses, qu'il n'y a pas de sens… J'aurais couru derrière une illusion toute ma vie… J'ai peur…"

Son regard avait changé l'espace d'un instant, comme s'il s'était plongé à l'intérieur de lui-même, et ses prunelles avaient repris la phosphorescence glauque de sa jeunesse. Muriel et Lukeni se sentirent brusquement happés par ce feu intérieur qui brûlait dans le regard du vieux. Au bout d'un moment, il s'exclama d'une voix où perçaient aussi bien l'angoisse que la résignation :

"Ah, c'était un monde à notre dimension !

— Mais le monde actuel est aussi à nous, dit avec force Bunseki Lukeni. Il n'y a jamais eu d'âge d'or.

— Je n'ai jamais cru à un âge d'or, répliqua aussitôt Mankunku comme piqué à vif, même pas avant la colonisation ! Sinon aurais-je passé ma vie à bousculer les puissants ?"

Un long silence se fit parmi les trois, puis le visage de Mankunku redevint calme, ses yeux perdirent leur lueur étrange. D'une voix lasse, il dit :

"Pardonnez-moi, je suis vieux et je me suis laissé aller à un peu de nostalgie. Je n'ai plus ma place ici, il faut que je m'en aille. Mais bien sûr je suis d'accord avec vous, le monde continue à tourner, il faut continuer à vivre. Il faut qu'il y ait de l'espoir. Et puis nous sommes de la race de ceux qui assistèrent à la création du monde, nous avons le devoir d'être là lorsqu'il cessera d'exister.

— Pari tenu, dit Lukeni, ému par ces paroles. Vieux Mankunku, pourquoi n'écrirais-tu pas tes mémoires ?

— Je ne sais pas écrire.

— Tu les dicterais à Muriel et ce serait un document extraordinaire pour nos enfants.

— Oh, je ne crois pas que les mémoires d'un vieil analphabète intéresseraient beaucoup de gens. Je suis si fatigué et mon cerveau aussi ; j'ai assez vécu et ma seule préoccupation est de savoir si je vais pouvoir mourir un jour.

— Voyons, dit Lukeni en riant, lui qui ne connaissait pas les doutes qui avaient plané sur la réalité de la naissance de Mankunku, son esprit rationnel amusé par les craintes insensées du vieux, voyons, reprit-il, il faudra bien mourir un jour, tu ne te dilueras pas comme ça dans l'univers cosmique.

— Allez, venez, dit Muriel, s'adressant aux deux hommes, on va passer à table."

40

Lorsqu'ils eurent fini de manger, et pendant que le garçon débarrassait la table, ils passèrent au salon. Lukeni donna un gros cigare à Mankunku et celui-ci, vautré dans son fauteuil moelleux, s'amusa à faire des ronds de fumée.

"Je vais te faire une surprise. Ma femme et moi collectionnons les vieux disques, les disques de ta jeunesse, et on va te les faire écouter.

— J'en serais très heureux, il y a une éternité que mon phono ne marche plus.

— Tu as un phonographe ?

— Oui, un bien vieux.

— Qu'est-ce qui ne va pas avec ?

— Le ressort est cassé.

— C'est vrai que ces choses-là marchaient avec un ressort mécanique.

— Oui, le ressort est cassé et toutes les aiguilles sont rouillées.

— Je cherche à en acheter un. Tu me vends le tien ?

— Te le vendre ? Ce vieux machin qui ne marche pas alors que tu as cette superbe chaîne ?

— Absolument. Je l'achèterai même au prix de ma chaîne à vidéodisque.

— Je vous le donnerai pour rien, mes enfants. Je n'en ai plus besoin ; je vous l'enverrai dès que je pourrai.

— Non vieux Mankunku, nous voulons te l'acheter.

— Ne discutez pas, mes enfants. C'est un appareil qui a été très important dans ma vie, je ne peux pas le vendre. Je vous le donne parce que je vous aime et vous considère comme les enfants que je n'ai pas eus.

— Merci beaucoup, ce vieux phono sera aussi important pour nous qu'il l'a été pour toi."

Mankunku partit brusquement d'un éclat de rire.

"Quand je pense que la première fois que De Kélondi a apporté son appareil chez moi et l'a mis en marche cela a provoqué la panique ! Les gens avaient peur. Ils

271

croyaient qu'il y avait un petit démon caché là-dedans qui imitait la voix des hommes."

Ils rirent ensemble. Il leur parla de sa radio, de sa maison qui était devenue un lieu de rendez-vous pour toute la jeunesse et tous les anciens combattants, les uns pour écouter les nouveautés, les autres pour suivre les nouvelles de la guerre d'Indochine. Quand on voit maintenant que le paysan venu du fin fond de sa brousse natale ne trouve rien d'extraordinaire aux petits postes à transistors que l'on peut tenir dans la paume de sa main, aux micro-cassettophones, aux vidéocassettes, on se rend compte vraiment que les temps ont changé.

Lukeni mit sa chaîne en marche. Mankunku s'enfonça un peu plus dans son fauteuil, dans la torpeur de l'après-midi. Et il écoutait ces vieux disques grésillants du bon vieux temps, du temps de sa belle époque. Il sentait ses yeux se gonfler d'émotion. Il écoutait Wendo chanter *Marie-Louise*, Wendo pleurer la mort de son ami Paul Kamba, il écoutait les San Salvador, Jimmy l'Hawaïen, les vieux tangos de Carlos Gardel… Il écoutait… Mon Dieu, pourquoi les souvenirs sont-ils à la fois si doux et si tristes ? Milete, ah, Milete ! Il n'en put plus, il pleura, une fois de plus vaincu par l'amour. Des larmes silencieuses coulaient sur les joues ridées du vieil homme plongé dans la profondeur du temps perdu et retrouvé. Muriel, émue, vint lui prendre la main.

"Je n'ai pas toujours été seul, dit-il ; j'ai aimé une femme dans ma longue vie, une seule. Elle s'appelait Milete, elle était belle et intelligente comme toi mon enfant."

Muriel l'embrassa ; c'était tout. Mankunku sortit enfin de ses souvenirs.

"Il est temps que je m'en aille, je vous remercie beaucoup.

— Tu ne veux pas rester un peu plus ? protesta Muriel. Nous te ramènerons le soir.

— Non vraiment, je ne veux pas vous déranger plus longtemps.

— Tu ne nous déranges pas, nous avions d'ailleurs programmé une promenade cet après-midi.

— Demain on travaille, alors profitons du week-end.

— Quel travail fais-tu exactement, mon enfant ?

— Je fais de la recherche dans le domaine des réactions moléculaires, comment te dire ? J'essaie de voir comment les éléments se combinent pour essayer de fabriquer de nouveaux produits.

— Tu cherches à découvrir, je veux dire à surprendre l'endroit où se cachent les produits et les choses qu'on n'a jamais vus ?

— Pas tout à fait, je fabrique, je crée, j'invente des molécules, des produits qui n'existent pas dans la nature, qui n'ont jamais existé.

— Créer… des produits qui n'existent pas dans la nature ? Comment est-ce possible ? Je ne comprends pas."

Lukeni ne sut que répondre. Muriel intervint :

"Pourquoi ne lui ferais-tu pas visiter ton laboratoire ?

— C'est une très bonne idée, cela remplacera la promenade de cet après-midi. Téléphone à Sita voir si on peut lui faire visiter aussi l'observatoire."

Le vieux accepta avec joie. Muriel téléphona à l'astronome puis ils prirent la voiture pour aller au laboratoire.

Mankunku arriva au laboratoire excité mais intimidé par la blouse blanche que venait de mettre le professeur Lukeni. Celui-ci commença par montrer les produits étranges de son laboratoire ; il prépara des solutions aux couleurs changeantes, oscillantes, il mélangeait deux liquides incolores qui réagissaient pour donner un solide aux couleurs vives ; il lui montra des gaz liquides, des gaz solides… Mankunku entendait bourdonner à ses oreilles les mots d'atomes, de molécules, d'orbitales moléculaires, d'électrons, de quarks… Il était dans un véritable état d'ivresse mentale, tout tournait dans sa tête. Se pourrait-il que tout se trouvât dans ce laboratoire de chimie et dans le cerveau de ce petit enfant qu'il avait vu naître il n'y avait pas si longtemps ? Son excitation monta à son comble lorsque Lukeni prit un petit flacon et versa une grosse goutte argentée sur la paillasse. La grosse goutte éclata en gouttelettes plus fines qui se mirent en boules sphériques et continuèrent à rouler. Mankunku eut le souffle coupé, son regard, redevenant un instant vert phosphorescent, roulait avec les gouttelettes.

"L'eau qui ne mouille pas ! Je savais que ça existait !" cria-t-il.

Intrigué, Lukeni lui demanda de quoi il parlait, mais le vieux s'était mis à quatre pattes, courant après les boules, toujours aussi fasciné.

"Que se passe-t-il ?

— Je savais que ça existait !

— Ah, tu veux parler du mercure ?

— Tu vois, mon petit, je savais qu'il y avait un passage entre l'eau qu'on peut retenir entre ses doigts et le fer solide que nous, forgerons, déformons et reformons."

Lukeni aussi intrigué se mit à lui parler des propriétés du mercure dans un langage qu'il voulait accessible :

"Tu vois, c'est un métal liquide, le seul métal liquide à la température ambiante. Son coefficient de dilatation… je veux dire sa capacité à se dilater est remarquable, c'est pourquoi on s'en sert dans les thermomètres…"

Mankunku l'interrompit, comme si les paroles que Lukeni prononçait n'avaient que peu d'importance car elles ne semblaient qu'effleurer la surface des choses.

"Après avoir vu cette eau qui ne mouille pas, je suis sûr qu'il existe un passage, une voie, un état entre le monde des ancêtres disparus et nous les vivants, entre la vie et la non-vie ; c'est ce passage-là que j'ai toujours cherché…"

Et il plongeait sa main, essayant d'écraser les gouttes de mercure entre ses doigts, de les tenir, les sentir, mais celles-ci se fragmentaient à l'infini, fuyant, insaisissables comme un miroir éclaté multiplie la même image jusqu'à l'infini.

"Attention, c'est un métal qui rend fou !"

Lukeni lui saisit brutalement la main, la retira des gouttelettes de mercure et la lui essuya de force. Mankunku ne parut pas tellement surpris de ce que venait de dire Lukeni. Il répliqua tout naturellement comme si cela allait de soi :

"Il est dans la nature même des choses qu'il rende fou. Ça ne peut pas en être autrement."

Lukeni était vraiment intrigué. Où ce vieillard avait-il entendu parler du mercure, le vif-argent des alchimistes, le prince des sucs, et surtout par quelles coïncidences inattendues lui accordait-il autant d'importance que les alchimistes du monde entier depuis le début des temps ?

275

Ce n'est qu'alors que l'intelligence de Mankunku le frappa. Il avait discuté pendant des heures avec cet homme et, à aucun moment, son esprit enfermé dans son préjugé qui confondait intelligence et instruction académique ne s'était rendu compte qu'il discutait avec un savant, même si l'homme n'avait jamais été à l'école. À son interrogation sur le passage entre la vie et la non-vie, Lukeni allait lui répondre que bien sûr ce lien existait, les virus, qui se situaient sur le seuil séparant la matière vivante des molécules inertes mais il se retint car il commençait à comprendre ce qui les séparait profondément, ce qu'il y avait de fondamentalement différent dans leurs approches du monde. Lui Bunseki Lukeni avait une approche scientifique du monde vers la connaissance, le vieux une sapience holistique. Leurs racines se nourrissaient de sources différentes : le vieux, profondément enraciné dans une culture, une civilisation millénaire dont il se sentait l'héritier et le dépositaire ; le jeune, récipiendaire d'une science presque totalement élaborée pour l'essentiel ailleurs, même si elle plongeait ses racines originelles dans les terres d'Égypte et de Nubie, une science qui avait prouvé son efficience universelle et dont aucune civilisation ne pouvait plus se passer. L'idéal serait de combiner ces deux approches ; il le sentait au plus profond de lui-même, il y avait là quelque chose d'essentiel que portait l'Afrique et c'est ce que devinait ce vieux, quelque chose qui pourrait sans conteste donner un nouvel élan à sa connaissance à lui, à cette science occidentale qu'il possédait. Mais comment ? Ne serait-ce pas une quête trop longue alors qu'il fallait, de peur d'être dépassée, être au courant de ce qui s'ajoutait, chaque jour, à sa discipline ? Comment faire pour s'approprier ou, plutôt, se réapproprier cette gnose africaine, d'autant que le monde de Mankunku et tout ce qu'il impliquait reculait de plus en plus à l'horizon comme un paysage s'éloigne de plus en plus rapidement au fur et à mesure que le train prend de la vitesse ?

La nuit était tombée en quelques minutes, comme elle tombe sous ces latitudes. Muriel leur rappela qu'il était temps de partir vers l'observatoire. Lukeni versa un peu d'azote liquide sur les gouttelettes de mercure, celles-ci devinrent dures et cassantes et il les remit aisément dans le flacon. Il se lava les mains, obligea Mankunku à en faire autant, puis il quitta sa blouse, ferma la porte et tous les trois se dirigèrent vers la voiture.

L'astronome Sita les reçut devant la grille du grand bâtiment à dôme central. Il connaissait bien le vieux et l'accueillit chaleureusement. Ils montèrent l'escalier raide menant au télescope. Il régla l'instrument avec d'infinies précautions et, quand tout fut prêt, il demanda à Mankunku de regarder.

Dès que Mankunku mit son œil contre l'oculaire de l'appareil, le spectacle dépassa son imagination. La Lune jaillit vers lui ou plutôt il bondit vers elle. Il en explora les cratères, les contours, les mers. Puis l'astronome régla la grosse lunette sur Mars tout en lui expliquant :

"C'est là qu'iront les spationautes qui seront envoyés le mois prochain. Nous connaissons beaucoup mieux Mars qu'on ne connaissait la Lune à l'époque où les hommes y sont allés pour la première fois. Vous voyez ces failles géologiques, les anciens pensaient que c'étaient des canaux d'irrigation tracés par des créatures intelligentes ! Et voici

Saturne et ses anneaux innombrables… Jupiter, la plus grosse planète du système solaire… les Pléiades que tu connais si bien…"

Il lui parla des nébuleuses, des galaxies, des explosions de novæ, des trous noirs, des étoiles qui refroidissent et meurent, des quasars…

"Les hommes pourraient-ils atteindre ces galaxies lointaines qui pullulent dans cet univers infini ? osa balbutier Mankunku.

— Il n'est pas sûr que l'univers soit infini… ou plutôt il se pourrait bien que l'univers soit infini mais fermé, de ce fait fini… comment vous expliquer cela… disons que si vous regardiez droit devant vous et que vous pouviez voir à l'infini, vous apercevriez votre propre nuque. Vous comprenez ?

— Oui oui, dit le vieux émerveillé. C'est… c'est comme un ballon gonflé, n'est-ce pas ? Une orange par exemple. Une fourmi se déplacerait dessus indéfiniment alors que nous savons que c'est un objet fini.

— Bravo, dit le jeune Sita étonné par la rapidité avec laquelle l'esprit de Mankunku saisissait ce qu'il voulait lui faire comprendre.

— Pour répondre à votre question, ce qui nous gêne le plus dans une telle expédition, du moins pour le moment, c'est que la vitesse de la lumière semble une barrière infranchissable ; aucun objet matériel ne peut aller plus vite qu'elle. Mais, conclut-il, il ne faut pas désespérer pour autant. Nous avons bon espoir de vraiment comprendre un jour cet univers qui est le nôtre."

Le vieux Mankunku s'était affalé sur son siège, épuisé. Et les planètes, les étoiles, les quasars, les toutes petites molécules tourbillonnaient dans sa tête. Tout ce qu'il venait de voir rendait ridiculement infime ce qu'il connaissait, lui qui se vantait d'être *nganga* ! Ah, se dit-il, maintenant je sais que je ne sais rien. Puis s'adressant aux trois jeunes gens :

"Mais… mais qu'y a-t-il derrière tout cela ?" balbutia-t-il.

Toujours cette même question obsédante !

"Rien vieux Mankunku, *rien*, lui lança Lukeni.

— Si, dit Sita, il y a la loi de la gravitation qui maintient ces planètes ensemble, les guide…

— Qu'est-ce qu'une loi ?

— C'est ce que les hommes ont inventé pour comprendre comment fonctionnent ou doivent fonctionner les choses.

— *Comment* elles fonctionnent et non pas *pourquoi*, rajouta Lukeni.

— Alors il n'y a rien !" lança Mankunku de façon désespérée.

Muriel s'approcha du vieux, mit les mains sur ses épaules tandis que les deux garçons se taisaient. Mankunku ne pouvait se faire à l'idée que les ancêtres étaient enterrés et bien enterrés, et qu'ils n'étaient plus les magistères de ce nouveau monde technocratique. Il voyait son âme nue, sans rien sur quoi s'appuyer. Ces jeunes gens pouvaient vivre avec rien, avec le néant, lui il ne le pouvait pas. D'une voix lasse il dit :

"Je suis vraiment heureux d'avoir vu ce que j'ai vu. Je n'ai plus ma place ici, veuillez me ramener."

Ils quittèrent Sita, entrèrent dans la voiture et Lukeni qui était au volant prit la direction du domicile de

Mankunku. Mais, au bout d'un moment, Mankunku les arrêta, préférant continuer seul, à pied, comme si leurs routes se séparaient là, comme s'ils n'avaient plus de chemin à parcourir ensemble. Les deux jeunes gens sortirent de la voiture pour lui dire adieu. Muriel le tint affectueusement dans ses bras puis, quand elle le relâcha, il prit la main de Lukeni et la serra lentement avant de retirer la sienne, comme un coureur de relais retire sa main après avoir transmis le témoin. Il regarda ensuite les deux époux agitant encore la main pour lui dire adieu, deux enfants qui se tenaient par la taille, heureux, le monde grand ouvert devant eux. Rien ne leur était plus impossible : il avait épousé une femme qui venait de l'autre côté du monde sans aucun problème alors que lui n'avait pu épouser la femme qu'il avait aimée sous prétexte qu'elle était étrangère et que sa ville, à une journée de marche de son village, était trop loin de son village à lui. Il tourna le dos, les deux époux entrèrent dans leur voiture et démarrèrent.

Il rentra chez lui en prenant le chemin le plus long, marchant à pas aussi fermes que le lui permettait son âge afin de sentir la terre solide sous lui, âme solitaire sous les étoiles éparpillées de la voûte céleste comme des grains de maïs qu'on jette aux poules dans le geste large du semeur. Il traîna une fois de plus la Lune derrière lui, dans les poussières de la Voie lactée alors que son esprit voguait avec les courants d'onde du plasma cosmique. Il chercha parmi toutes les constellations qu'il connaissait l'étoile de sa mère, il ne la vit pas. Il se sentit plus seul encore, perdu entre les galaxies, les supernovæ et le big-bang initial de la création.

C'est alors que la patrouille de militants défendant la révolution menacée par les forces du mal et l'impérialisme tomba sur lui.

41

Après les scènes de cannibalisme rituel du stade, chauffées à blanc par le discours du chef de l'État, des bandes de militants avaient déferlé dans les rues pour défendre la révolution menacée quoique remportant chaque jour des victoires de plus en plus grandes, comme l'avait appris à ses dépens l'opposant dont le cadavre avait été exposé au gymnasium. Ils parcouraient les rues aux cris de "Au poteau, au poteau !", arrêtant les gens pour en vérifier l'identité afin de déceler les espions et les complices du vaincu. Une des patrouilles tomba sur le vieux Mankunku, marcheur solitaire sous la voûte étoilée et sous les balancements des palmes dans la brise chaude du soir. Deux miliciens braquèrent leurs armes sur lui tandis qu'un troisième, probablement le chef, lui criait :

"Eh vieux, montre-nous tes papiers."

Mankunku n'entendit pas car son esprit voguait encore à la hauteur des étoiles ; il continuait son chemin lorsque la douleur aiguë d'un coup de crosse aux reins le força à se plier en deux et le ramena brutalement sur terre.

"Vos papiers vite, sinon c'est le gnouf !"

Mankunku redressa péniblement son vieux corps et regarda d'un air perplexe ses interrogateurs.

"Mes papiers je ne les ai pas sur moi, je les ai oubliés à la maison… de toute façon je suis dans mon quartier… vous pouvez venir vérifier chez moi…

— Allez sale espion réactionnaire, on t'embarque !"

Mankunku protesta, jura, supplia ; ils le traînèrent sur une dizaine de mètres et le jetèrent dans un bahut bourré d'autres espions dépourvus de papiers d'identité comme lui. L'auto continua sa ronde jusqu'aux heures avancées de la nuit ; enfin, aux premières heures de l'aube, on le jeta à même le sol, avec tous les autres, dans une salle exiguë et puante que l'on referma avec de grosses serrures.

On les extirpa de la salle nauséabonde l'après-midi, les vêtements pouilleux et boueux, le corps fourbu, pour les présenter au membre du Parti chargé de la sécurité. On les fit asseoir sur des bancs durs en lattes de bois en face desquels se dressait, immense, le portrait du Président. Ils attendirent plus d'une heure puis une voix cria :

"Arrivée du camarade du Parti chargé de la sécurité publique, le camarade Anastase Kaduma."

Les miliciens se raidirent avec leurs armes et tout le monde se leva. Le camarade responsable de la sécurité entra dans le prétoire sous les applaudissements tout en s'applaudissant lui-même et prit place à la tribune. Tout le monde s'assit. Il commença alors à parler, vouant aux gémonies les ennemis de la révolution et leurs espions dont certains arrêtés dans la nuit se trouvaient dans cette salle. Il ouvrit le grand registre dans lequel étaient consignés les noms des détenus. Mankunku vint en cinquième position. Il était manifestement le plus vieux du groupe. Fatigué et affamé, la voussure de son dos légèrement accentuée, il tentait avec effort de se soutenir par le dossier du banc placé devant lui. Le responsable du Parti, homme d'expérience, se rendit aussitôt compte que ce pauvre vieillard n'avait rien d'un espion, il s'était tout simplement laissé prendre dans le filet de ces jeunes militants un peu trop zélés. Non vraiment, il ne fallait pas être ridicule. Conciliant, il dit :

"Vieux, pourquoi vous promenez-vous à des heures indues sans papiers ?

— Je les avais oubliés chez moi.

— L'oubli n'est pas une excuse.

— J'étais dans mon quartier, à deux pas de chez moi ; je leur ai demandé de venir chez moi contrôler mes papiers mais comme ces malotrus sont des jeunes gens mal élevés…

— Écoute, vieux, j'étais assez bien disposé à votre égard, mais si vous vous mettez à injurier publiquement ces jeunes gens dévoués qui défendent bénévolement la révolution, je vous fous en cabane tout de suite.

— Vous devriez apprendre à ces jeunes à respecter les gens ; vous ne savez pas qui je suis."

C'en était trop pour le président. Son indulgence s'évanouit et c'est d'un ton sévère et sans pitié qu'il fulmina :

"Je me fous de savoir qui vous êtes, vieil analphabète ; du moment que vous menacez la révolution et l'État, vous êtes un individu nuisible que le Parti doit écraser comme on écrase un cafard…"

À ce moment, un membre du présidium assis à la droite du président Anastase Kaduma lui souffla quelque chose à l'oreille. Ce dernier fronça les sourcils, étonné, puis reprit :

"Je viens d'apprendre que vous aviez été déclaré héros national le jour de l'indépendance. Eh bien, ceci ne fait qu'aggraver votre cas car votre comportement est indigne d'un héros national. Au lieu de contribuer à aider le pays…"

Mankunku ne l'écoutait plus. Le son de la voix du président n'était plus qu'un murmure lointain, inconséquent, qui avait perdu le pouvoir de faire vibrer ses tympans. Il se replongea en lui-même. Que faisait-il ici, lui qui avait aussi été un grand ? Lui qui avait relié les saisons aux Pléiades ? Lui qui avait découvert les propriétés aphrodisiaques du *kimbiolongo*, lui… Sa pensée s'échappa brutalement en une voix forte, interrompant le membre du Parti qui continuait à lui faire la morale :

"J'ai découvert le quinquéliba contre le paludisme, moi !"

Le responsable de la sécurité, étonné par ces paroles qui sortaient du cadre routinier de sa langue de bois, surpris, se fâcha plus fort encore :

"Qu'est-ce que j'en ai à foutre de ton quinquéliba, moi ? Quand j'ai le palu, je prends deux bons comprimés de chloroquine et me voilà sur pied ! Vous délirez, vous êtes trop vieux. Je ne vous mettrai pas en prison, la révolution sait être magnanime. Je vais vous renvoyer dans votre village dès demain matin et c'est là que vous passerez vos derniers jours de héros national déchu. Ne remettez plus jamais les pieds ici en ville. Gardes, emmenez-le !"

Mankunku se fâcha à son tour. Il se redressa soudain, la voussure de son dos brusquement disparue comme s'il avait été soutenu par une intense force intérieure. Il haletait légèrement tandis que ses yeux avaient repris l'ardeur phosphorescente du temps de sa jeunesse lorsqu'il affrontait des moments gravides d'événements. Les gardes qui s'approchaient pour le saisir s'arrêtèrent brutalement comme hypnotisés.

"Je suis Mankunku le destructeur, celui qui défie les puissants et les tambours qui leur rendent hommage. J'ai combattu toute ma vie, j'ai tué mon oncle maternel, j'ai connu Moutsompa et Ma Ngudi…"

Et puis, tout d'un coup, il se rendit compte que ses paroles étaient pour ces jeunes gens, pour le responsable de la sécurité du Parti, des mots vides, creux, des échos sonores d'une épopée qui ne leur disait absolument rien : pour eux, il délirait, il racontait n'importe quoi. Face à un État moderne, avec ses armes, ses lois et l'appareil de son Parti, il n'avait que la force de sa foi, ce qui était dérisoire. Un homme seul ne pouvait résister à la force d'un État. Il sentit qu'il était complètement dépassé, les ancêtres étaient bien enterrés. Il se tut aussi brusquement qu'il avait commencé, sortit de la salle sans que personne esquissât le moindre geste pour l'arrêter : pour eux, il n'existait déjà plus, il ne menaçait plus leur révolution.

La tension qui soutenait Mankunku ne se relâcha que lorsqu'il rentra chez lui et qu'il se fut assis sur sa chaise longue. Il était exténué, physiquement et moralement. Il lui semblait tourner en rond dans un monde où l'Histoire l'avait rejeté comme jadis le grand fleuve, un monde fait pour les Lukeni et les hommes du Parti qui l'avaient interrogé cet après-midi. Où aller ? Qui voir ? Tous ses vieux compagnons avaient disparu. Il ne lui restait plus que son village qu'il n'avait pas revu depuis des lustres, depuis le jour où il l'avait quitté pour devenir Massini Mupepe, l'homme de la machine et du vent. Oui, sa décision était prise. Il irait dans son village vivre ses derniers jours, converser une dernière fois avec les oiseaux, écouter le grand fleuve, écouter le vent et peut-être, qui sait, retrouver la pureté des choses et l'éclat primitif du feu de ses origines.

VIII

Regarde à présent unifié
en mon corps l'univers entier
— tout ce qui se meut et ne se meut pas.

Bhagavad-gîtâ, chant XI, 7.

42

Dès avant l'aube, il se leva, se lava rapidement le visage, prit le petit baluchon qu'il avait préparé, sortit, regarda une dernière fois sa maison devenue inutile puis y mit le feu. Il contempla un moment les flammes embraser totalement le toit de chaume et s'éloigna rapidement sans se retourner, alors que des spectateurs à moitié ensommeillés se précipitaient trop tard sur les lieux de l'incendie. Ainsi, il ne resterait plus rien de son passage dans cette ville. Et, pour ceux qui ne le reverraient plus jamais, Mandala Mankunku ne serait plus que ces cendres confondues avec celles de sa maison calcinée...

D'habitude, après une demi-journée de marche, on apercevait déjà les paysages familiers qui lui indiquaient l'approche de son terroir. Or aujourd'hui, après une dizaine d'heures de marche il ne reconnaissait encore rien. Il s'arrêta un moment debout sous le soleil écrasant pour essuyer la sueur de son front et son regard rencontra un cristal de sable étrangement brillant sous l'éclat du soleil. Mankunku oublia tout autour de lui et resta fasciné par cet étrange miroitement. Et, tout d'un coup, le cristal reçut un grain de lumière bombardé du soleil et, incapable de le garder, le déchargea sur une herbe qui prit feu ; l'herbe s'enflamma, tout s'enflamma, tout se mit à brûler. Mankunku céda à la panique, jeta son baluchon et se mit à fuir, à courir droit devant lui. Derrière tout n'était que feu, comme si tous les feux étaient devenus le Feu, spectacle d'un monde qui brûle et qui s'écroule. Il courait, courait, les épines déchiraient ses habits, arrachaient sa peau, labouraient sa chair ; il arracha les lambeaux de vêtements qui gênaient sa course et les jeta, le feu les engloutit aussitôt. Il courait comme une gazelle ailée mais soufflait bruyamment comme une locomotive. Son corps commençait à se fatiguer mais son esprit le poussait à continuer sa course.

Il avait surestimé ses forces car, maintenant que le soleil avait plongé de l'autre côté de la terre, il n'avait toujours pas atteint son village. Ses vieux membres lui faisaient mal, il fut obligé de s'arrêter après cette course folle. Loin derrière lui, le monde continuait à brûler. Il enleva ses chaussures usées qui le blessaient et se mit à marcher pieds nus dans l'herbe que la rosée du soir commençait à alourdir. Il avait froid. Il n'y avait pas de lune mais toutes les étoiles étaient sorties dans un ciel exceptionnellement limpide. Il marchait péniblement, son cœur battait vite, vite comme s'il s'était emballé, et il avait l'impression d'étouffer chaque fois qu'un battement envoyait une onde de douleur lancinante dans le côté gauche de sa poitrine. Il déboucha enfin sur une clairière : il reconnut la plantation où, d'après les dires de sa mère, il avait vu le jour, il reconnut l'arbre de *nsanda* que sa mère avait planté pour perpétuer le souvenir de sa naissance. Il n'était donc plus loin de son village, à quoi bon se presser ? Il fallait se reposer, il avait trop couru, il était trop fatigué.

Il s'assit contre l'arbre de sa naissance, longtemps, longtemps. Puis il voulut s'allonger. Avec beaucoup d'efforts il cueillit une grande feuille de bananier de la taille d'un homme, la posa par terre et s'y allongea ; la dure nervure centrale lui pénétra dans les côtes en même temps que la froidure de la feuille déjà mouillée par la rosée : il se recroquevilla un peu plus sur lui-même, en chien de fusil. Il était tout seul dans cette vaste plantation abandonnée, dans cette nuit fraîche de saison sèche.

Il sentait vraiment sa solitude. Le bruissement des palmes et des feuilles de bananier agitées par le vent se transforma dans son esprit en crépitements de flammes, comme si l'incendie commençait à le rejoindre : il se demanda s'il ne portait pas en lui-même sa propre négation, s'il ne fallait pas aussi consumer celui qui avait porté tous ces noms, Mandala Mambou Mankunku Maximilien Massini Mupepe, comme il avait mis le feu à sa demeure, comme ce monde qui s'embrasait derrière lui. Il en finirait ainsi définitivement avec ce monde pour lui devenu vieux, si vieux que certaines choses avaient deux, trois noms, et parfois plus, dissimulant ainsi l'essence même des choses les plus belles et pures dans leur nudité. Comment un tel monde pouvait-il se régénérer sans se détruire auparavant ?

Il s'était promis, lors de ses recherches, de réinventer la création du monde – ou du moins son mythe – afin de le comprendre ; il se demandait maintenant si ce n'était pas cela qu'il vivait, ou alors le mythe de la fin, lui qui avait toujours tout détruit. Mais y avait-il une différence ? Toute fin porte en elle un espoir, celui d'un commencement. C'était peut-être cet espoir qu'il était en train de vivre maintenant, il était peut-être en train de regermer avec les grains de mil et de maïs. Et soudain, en un bref moment de lucidité, il découvrit enfin ce qu'il avait cherché pendant toute sa vie : *retrouver, comme au premier matin du monde, l'éclat primitif du feu des origines.*

Alors son esprit et son corps se détendirent. Il était là, suspendu, être sans début ni fin, hors du temps des horloges des hommes. Il regardait le grand fleuve s'engouffrer dans l'immense océan, miroir d'un ciel et d'un monde neufs. Tout autour, ce n'était que le silence bruyant de l'univers, le tourbillonnement des galaxies, le vent, esprit souverain régnant sur toutes choses conscientes et sentientes. Mais, bien entendu, ces étoiles n'étaient pas des étoiles, ce vent n'était plus le vent, les planètes, les soleils n'étaient plus planètes et soleils puisque rien n'avait encore été nommé. Et lui, être né sans naissance, sans origine donc sans fin, écoutait, contemplait, ébloui ; il ne savait pas si c'était lui qui soufflait, embrassait la terre, montait caresser la cime des arbres, si c'était lui qui brillait là-bas, là-haut. Il n'osait même plus poser son regard sur ces choses émouvantes et brûlantes comme une onde surgie de l'explosion d'un objet cosmique, ces choses pures comme un cri au premier matin du monde, belles et gravides comme une aube, de peur de les déformer, de les transformer. Et il osait encore moins, de peur de les souiller par la parole, donner un nom à ces choses nues.

Montpellier-Boko-Brazzaville-Tokyo,
1975-1978, 1983-1986.

OUVRAGE RÉALISÉ
PAR L'ATELIER GRAPHIQUE ACTES SUD
REPRODUIT ET ACHEVÉ D'IMPRIMER
EN AVRIL 2018
PAR NORMANDIE ROTO IMPRESSION S.A.S.
À LONRAI
POUR LE COMPTE DES ÉDITIONS
ACTES SUD
LE MÉJAN
PLACE NINA-BERBEROVA
13200 ARLES

DÉPÔT LÉGAL
1re ÉDITION : MAI 2018

Nº d'impression : 1801112

(Imprimé en France)